ハヤカワ文庫 NF
〈NF573〉

デジタル・ミニマリスト
スマホに依存しない生き方

カル・ニューポート
池田真紀子訳

早 川 書 房

8661

DIGITAL MINIMALISM
Choosing a Focused Life in a Noisy World

by

Cal Newport

Translated by
Makiko Ikeda
Published 2021 in Japan by
HAYAKAWA PUBLISHING, INC.
This book is published in Japan by
arrangement with
PORTFOLIO
an imprint of PENGUIN PUBLISHING GROUP,
a division of PENGUIN RANDOM HOUSE LLC.
through TUTTLE-MORI AGENCY, INC., TOKYO.

私のパートナーであり、ミューズであり、そして理性の声である
ジュリーに

目次

Part 2 演習

訳者による注は小さめの（　）で示した。

デジタル・ミニマリスト
スマホに依存しない生き方

はじめに

　二〇一六年九月、週刊誌《ニューヨーク・マガジン》に、有名ブロガーで評論家のアンドリュー・サリヴァンによる〈かつて私は人間だった〉と題する七〇〇〇語の長文コラムが掲載された。それには穏やかならぬサブタイトルがついていた――「ニュースとゴシップと画像の終わりなき無差別爆撃にさらされて、我々は重度の情報依存に陥《おちい》っている。私は魂を抜かれた。あなたも危ないかもしれない」[1]。

　このコラムは広く共感を集めた。しかし私には、正直なところ、サリヴァンが何に警鐘を鳴らしているのか、すぐにはぴんとこなかった。私は同世代では珍しく、ソーシャルメディアのアカウントを一度も取得したことがなく、長時間のネットサーフィンもめったにしない。そのため、日常生活におけるスマートフォンの出番はあまりない。つまり私は、サリヴァンの記事が指摘するような、世間の大多数が共有している危機感とは縁《えん》のない少数派の一人だ。言い換えるなら、インターネット時代の革新的な技術が人々の生活を浸食しようとしている事実を知識として把握してはいたが、その意味するところを実感として理解してはいなかったのだ。しかし、あるできごとがきっかけとなって事情が変わった。

同じ二〇一六年の初め、私は『大事なことに集中する――気が散るものだらけの世界で生産性を最大化する科学的方法』（ダイヤモンド社）という本を出版し、集中して深く考えるという過小評価されがちなスキルについて考察し、絶えず人の注意を奪おうとするコミュニケーション・ツールが職場で幅を利かせているために、最良の成果を出せずにいる人が少なくないことを指摘した。読者が増えるにつれ、私のもとにたくさんの質問が寄せられるようになった。メールをくれた人もいれば、講演会場などで質問攻めにする人もいたが、知りたがっていることはみなだいたい同じだった――プライベートな場面ではいったいどうしたらいいのか。集中を妨げるものを仕事場から排除しようという私の意見には賛成だが、仕事を離れた場面でもやはり新しいテクノロジーにつきまとわれ、生活の質や充足感が低下しているような気がして、そのことにさらに大きなストレスを感じているというのだ。これに興味をそそられた私は、現代のデジタル・ライフの可能性と危うさに注目して、予定外の短期集中リサーチに取りかかった。

取材に応じてくれた人の大多数はインターネットの未来を信じていた。ネットは人生の質を向上させる推進力になりえるし、そうなっていくだろうと考えている。誰もグーグルマップのない生活を望んではいない。インスタグラムをやめるつもりもない。一方で、テクノロジーとの関係をいまのまま維持していくのは無理そうだと感じてもいた。近い将来、何らかの変化が起きないかぎり、自分たちも魂を抜かれてしまうだろうと。

現代のデジタル・ライフについて議論するうえで繰り返し耳にしたキーワードは〝疲労感〟だった。個別に見れば、どれか一つのアプリ、一つのウェブサイトだけが悪者というわけではない。多くの人が問題だと思っているのは、あまりにもたくさんのアプリやウェブサイトがきらきらと光を放って朝から晩までユーザーの注意を奪い合い、人の気分に影響を及ぼしていることだった。このカオスの真の問題は、ディテールにばかり目を凝《こ》らしていても見つからない。問題はそこではなく、自分ではどうにもできない状況になりつつあるという点にある。これほど多くの時間をネットに費やしたいと思っている人はあまりいないだろうに、デジタル・ツールは、行為依存を促すように設計されている。ツイッターをチェックしたい、レディット（英語圏で人気のあるソーシャル・ニュースサイト）に新しい投稿がないか確認したいという抑えがたい衝動は、目の前のことに集中すべき時間を細切れにし、日々を主体的に過ごすのに必要な平常心を乱す。

リサーチを続けるうちに浮かび上がってきた事実、そして次の章で扱うトピックの一つは、デジタル・ツールが持つ依存性には意図せず生まれたものがある（テキストメッセージがこれほどまでに人々の注意を独占すると予想した人はいないに等しい）一方で、意図的に生み出されたものも多い（ソーシャルメディア・サービスの多くは〝使わずにいられない〟からこそビジネスとして成立している）ということだ。いずれにせよ、四六時中スクリーンを凝視せずにいられないせいで、人々は、どこに、何に注意を向けるべきかの判断を自分ではない何かにコントロールされているように感じ始めている。もちろん、サービスに登録した時点では、主導権を手放すつもりはなかっただろう。誰もが何らかのメリットを期待してアプリをダウンロードし、会員登録をし、いざ使い始めてみたところで、登録前にはそのサービスの最大の魅力と思えたものが、なんとも皮肉なことに、当のサービスによって損なわれていくことに気づくのだ。たとえば、遠く離れて住む友達と連絡を取り合うためにフェイスブックを始めたのに、いつしか目の前にいる別の友達との会話を続けることができなくなっている。

リサーチをしてもう一つわかったのは、無制限にネットに接続していると心の健康をむしばまれることだ。私が話を聞いた人々の大半が、ソーシャルメディアはユーザーの感情を引っかき回すと訴えた。日常を切り取って念入りに編集した友人の投稿にしじゅう接していると、劣等感にさいなまれる。もともと気分が落ちこんでいたときなどはとりわけそうだろう。また、十代の若者にとっては、誰かを仲間外れにする残酷な手段にもなる。

さらに、人はもともと感情的になると暴言を吐《は》いてしまいがちだが、二〇一六年の大統領選とその余波に端的に表われたように、ネット越しの論争はその傾向をいっそう加速するようだ。これについて、テクノロジー哲学者ジャロン・ラニアーは次のような説得力ある分析をしている――「怒りや言葉の暴力がインターネット上にはびこるのは、ある意味、インターネットという媒体の性質と切っても切り離せない現象といえる。誰もが自由に参加して他人の関心を奪い合う場では、前向きで建設的な意見よりも、負の感情のほうが注目を集めやすい」[2]。そういった醜《みにく》いものに繰り返し接していると、自分まで暴言を吐いて憂さを晴らすことになりかねない。多くの人は、否応なく常時つながっていることと引き換えに、自覚のないまま法外な代償を支払っている。

デジタル・ツールの過度の使用がもたらす疲労感。主体性を弱め、幸福度を低下させ、負の感情を増幅し、より大事な活動から注意をそらさせる力――私はそういった憂慮すべき問題の数々を目の当たりにして初めて、現代文化の支配者たるテクノロジーとのあいだに危険な関係を築いている人があまりにも増えていることに気づいた。こう言い換えてもいい。アンドリュー・サリヴァンが「かつて私は人間だった」と嘆いた意味が、このときようやくわかり始めたのだ。

■　■　■

読者とのやりとりを経て、テクノロジーが人々の私生活に及ぼしている影響をもっと詳しく調べなくてはならないと確信した私は、このトピックについて本格的なリサーチと執筆を始めた。目的は二つ。問題の概略を把握すること、そして新しいテクノロジーを最大限に活用しながらも主体性を失わずにいる希有《けう》な例を探し出すことだった。*

調査開始からまもなく明らかになった事実の一つは、デジタル・ツールには有益な面と有害な面が混在しているために、現代文化とツールとの関係が複雑になっていることだった。スマートフォン、どこでもつながるワイヤレス・ネットワーク、何十億もの人々をつなぐデジタル・プラットフォーム。どれも人類が誇るべきイノベーションだ！　良識的な評論家なら、それらがまだ存在しなかった時代に戻ったほうが幸せだなどとは言わないだろう。反面、人々は自分がデバイスに使われているような現状に疲れを感じ始めてもいる。そしてその現状は、元気の出る写真をいつでもインスタグラムで探せる自分の力をありがたく思う一方で、以前なら友達とおしゃべりをしたり本を読んだりして過ごしていた夜のひとときに割りこんでくるインスタグラムに神経をすり減らすという、矛盾した心の風景を描き出す。

この始末の悪い問題への対抗策としてよく挙げられるのは、無理のない範囲で元凶を遠ざけましょうといった〝ハック〟や〝ティップス〟だ。〝デジタル安息日〟を設ける、夜はスマートフォンをベッドに持ちこまない、通知を切ってマインドフルに過ごす……といった対策を実行すれば、そもそもそのテクノロジーを利用する動機になったメリットはいままでどおり享受しつつ、同じテクノロジーの害悪を最小限にできるだろうというわけだ。その控えめなアプローチに惹かれるわけは理解できる。なんといっても、自分のデジタル・ライフについて思い切った決断をせずにすむのだから。何かをきっぱりとやめたり、ス

＊個人的な経験を活かそうにも私にはそれがないという事実を弱点とみなす人もいる。「使ったこともない人間にソーシャルメディアを批判する資格はない」——この問題について公の場で発言すると、一番多く聞こえてくる声の一つがそれだ。この批判には当たっている部分がないわけではないが、二〇一六年に調査を始めた時点で、自分の〝当事者ではない立場〟が有利に働く場面もあることに私は気づいていた。先入観にとらわれることなく現代のテクノロジー文化を見渡せるからこそ、思いこみと事実を区別したり、有意義に利用しているのか、それとも自分が利用されているのかを見分けたりといったことがより的確にできるのではないかと思う。

マートフォンがもたらすメリットの一部をあきらめたりする必要はないし、友達を怒らせる心配も、重大な不便をこうむるリスクもない。

しかし、このタイプのちょっとした軌道修正を試したことがある人ならおそらくもう気づいているように、意思の力や小さな工夫、漠然とした決めごとだけでは、ユーザーの意識に横暴に侵入してくる新しいテクノロジーを退《しりぞ》けるのには力不足だ。デジタル・ツールは使わずにいられなくなるように設計されている。しかもその行為依存を助長する文化的な圧力はすさまじく、小手先の対処法ではとうてい歯が立たない。この問題を追究した結果、私は次のような結論に達した。必要なのは、自分の根本をなす価値観に基づいた、妥協のない〝テクノロジー利用に関する哲学〟だ。どのツールを利用すべきか、どのように使うべきかという問題に明確な答えを提示できる哲学。そして、選んだツール以外のいっさいを無視できるだけの自信を与えてくれることも、同じくらい重要な条件だ。

この二つの条件を満たす考え方は数多くある。極端な例では、ネオ・ラッダイト（ラッダイトとは技術革新反対者のこと）が挙げられる。新しいテクノロジーのほぼすべての利用を控えようと主張する人々だ。これと対極に位置するのは、自己定量化に熱中する人々だろう。彼らは人生の最適化を目標とし、生活のあらゆる領域にデジタル・デバイスを組みこむ。そういった多種多様な哲学を吟味するうち、テクノロジー過多の時代をうまく渡っていきたい人々に最適な答えとなりそうな一つが浮かび上がった。私はそれを〝デジタル・ミニマリズム〟と命名した。デジタル・ツールとつきあううえでは、〝少ないほど豊かになれる〟とする考え方だ。

これは決して新しい発想ではない。ヘンリー・デヴィッド・ソローが「シンプルに、シンプルに、シンプルに！」[3]と叫ぶはるか昔、マルクス・アウレリウスはこう説いた。「見なさい、充実した意義深い生涯を送るためになすべきことがいかに少ないか」[4]デジタル・ミニマリズムでは、こういった古典的な識見を現代の生活におけるテクノロジーの役割にそのまま適用している。しかも、そのまま当てはめた結果はめざましいものになりえる。

本書では、デジタル・ミニマリストの実例を数多く紹介していく。彼らはオンラインで過ごす時間を容赦なく削り、ごく少数の価値ある活動に集中することによって、大きなプラスの変化を経験した。デジタル・ミニマリストたちがオンラインで過ごす時間は極端に少ない。そのため、ライフスタイルそれ自体が極端なものと誤解されがちだが、デジタル・ミニマリストに言わせれば、それは反対だ――長時間スクリーンを凝視して過ごすほかの人々のライフスタイルのほうが極端なのだ。

デジタル・ミニマリストは知っている。現代のハイテクな世界で生き延びていくために必要なのは、テクノロジーを使う時間を大幅に減らすことだ。

本書の目標は、根拠を示してデジタル・ミニマリズムの有効性を伝えることにある。実践には何が必要か、なぜうまくいくのかを詳しく探求し、そのあとデジタル・ミニマリズムを取り入れるには何をすべきかを説明していく。

そのために、全体を二つのパートに分けた。パート1では、デジタル・ミニマリズムの基礎となる概念を解説する。あまりにも多くの人々のデジタル・ライフをいよいよ耐えがたいものに変えようとしている力とはいったい何なのか、それをじっくりと考察したあと、これぞ問題を解消する答えだと私が考える理由も含めて、デジタル・ミニマリズムとは何か、詳しく説明する。

パート1の後半では、デジタル・ミニマリズムをどのように実践したらよいか、私が提案するメソッドを具体的に紹介する。〝デジタル片づけ〟だ。ここまで述べてきたように、テクノロジーとの関係を根本的に変えるには、かなり思い切った行動が必要だ。デジタル片づけは、まさしくその思い切った行動となる。

デジタル片づけにあたっては、かならずしも必要ではないオンライン活動から三〇日間遠ざかることになる。この期間中に、デジタル・ツールの数々によって植えつけられた依存のサイクルから離脱し、より大きな充実感をもたらすアナログな活動を再発見する。散歩をする、友人と会っておしゃべりをする、地域社会との関わりを深める、本を読む、雲をただ眺めるといったことだ。しかし何より重要なのは、デジタル片づけによって、人生でもっとも大事なこととは何か、理解を研ぎ澄ますための余白《スペース》が生まれるということだ。三〇日の期間が過ぎたら、今度は、それら大事なことを達成するためにメリットがあるか否かという基準で厳選した少数のオンライン活動を復活させる。そこから再スタートを切って、かつて時間を細切れにし、集中力をそがれる原因となっていた注意散漫を誘う行為の大部分を退けて、厳選した主体的な活動のみをオンライン生活の核とすることに全力を傾けよう。デジタル片づけは、強制リセットボタンを押すようなものだ——始めたときのあなたは疲れ果てたマキシマリストだったが、終えたときのあなたは主体的に行動するミニマリストに生まれ変わっている。

パート1の最終章では、デジタル片づけの具体的な方法を説明する。私は二〇一八年初冬に一六〇〇名以上のボランティアを集めてデジタル片づけの集団実験を行ない、各人の経験を報告してもらった。それを元に、参加者の体験を数多く紹介しながら、どのような戦略が有効だったか、どのような罠を避けるべきかを述べていく。

本書のパート2では、デジタル・ミニマリズム生活を末永く維持していくために知っておくべき概念を詳しく紹介する。孤独の重要性を論じ、現在多くの人が漫然とデバイスを使うことに費やしている時間を質の高い余暇活動で埋める必要性を検討する。ソーシャルメディアで〝いいね〟をしたりコメントをつけたりするのをやめ、テキストメッセージでは連絡の取りにくい人になれば人間関係は強くなるという主張を提示し、それに対して出るであろう多くの異論に反論する。〝アテンション・レジスタンス〟――ハイテク・ツールと厳格な運用ルールを活用することで、注意経済《アテンション・エコノミー》を駆動するデジタル製品から価値を引き出すと同時に常用の罠を避けることを目指す、ゆるやかな組織的運動――についても簡単に述べる。

パート2の各章の末尾にはいくつかの演習が並んでいる。ここでは、その章で紹介した概念を実践するためのより具体的な戦略を紹介している。演習は、いってみれば新米デジタル・ミニマリストのための道具箱だ。各自の環境に合わせ、ミニマリストとしてのライフスタイルを築き上げるための道具として使ってほしい。

ソローの『ウォールデン森の生活』に、有名な一文がある――「多くの人は静かな絶望のなか日々を過ごしている」[5]。しかしその直後の段落に、これを切って返すような楽観的な一節があることはあまり知られていない。

> 彼らは、それよりほかの選択はないと決めてかかっている。しかし注意深く賢明な人は、朝日がまっさらな一日を照らしたことを忘れない。思いこみを捨て去るのに遅すぎるということはないのだ。[6]

常時接続された世界を支えているテクノロジーと私たちの関係を現状のまま維持していくのは無理がある。そのうえ、いまの関係は、ソローが一〇〇年以上も前に述べた静かな絶望へと私たちを導こうとしている。だが、ソローが指摘するように、朝日は「まっさらな一日を照らした」のだ。現状を変える力が私たちにはまだ残されている。

しかし変化を起こしたいなら、インターネット時代ならではのツール、エンターテインメント、そのほか私たちの注意を競って奪うものがでたらめにからみ合ったカオスに振り回されて、自分の時間をどのように使うか、どのような気分で過ごすかの判断を他人まかせにしているようではいけない。そういったテクノロジーの害悪を遠ざけたうえで有益なものを引き出す手段を講じなくてはならないのだ。私たちに必要なのは、いま決定権を握っているもの、すなわち人々の原始的衝動やシリコンヴァレーのビジネスモデルを玉座から追い落とし、自分の真の望みや価値観に従って日々の行動を選択するよう促す哲学だ。新しいテクノロジーを受け入れつつ、それを利用する代価がアンドリュー・サリヴァンの警告する人間らしさの喪失であるならば、迷いなく排除するような哲学。短期的な満足よりも、長期的な価値を優先するような哲学。

そう、デジタル・ミニマリズムのような哲学が、いまこそ必要なのだ。

Part 1

基　礎

1　スマホ依存の正体

どうしてこんなことに？

フェイスブックを初めて知ったときのことをいまも覚えている。二〇〇四年の春だった。大学四年生だった私の周囲で、thefacebook.com（北米でのサービス開始時は〝Thefacebook〟と〝the〟がついていた）というウェブサイトの話をする友人が増えていた。実際のプロフィール・ページを初めて見せてくれたのは、当時のガールフレンドで現在の妻、ジュリーだった。

「目新しいというのが最初の印象だったかな」いま振り返って、ジュリーはそう言う。「新入生名簿の電子版って触れこみだった。知り合いのボーイフレンドやガールフレンドのことを調べるのに使えるって」

ここでのキーワードは〝目新しい〟だ。フェイスブックが登場したとき、それがその後の私たちの社会生活、市民生活のリズムを根底から変えると予想した人はいなかった。そのときはまだ、無数にある気晴らしの一つでしかなかったのだ。二〇〇四年の春、thefacebook.comに登録した知り合いはいても、みんなスヌード（当時なぜか人気のあったテトリス風のパズルゲーム）をプレイするのに忙しく、フェイスブックのプロフィールをしじゅう更新したり、ポーク機能を使って大勢のバーチャルな友達に挨拶を送ったりしている人はほとんどいなかった。

「おもしろそうだとは思ったけど」ジュリーはそう説明する。「そこまで時間を費やすようなものには思えなかった」

その三年後、アップルがiPhoneを発売して携帯電話に革命を起こす。多くの人が忘れているのは、当初iPhoneが約束した〝革命〟は、結果的に社会に与えることになった影響を考えれば、比較にならないほど控えめなものだったことだ。スマートフォンはいまや噂話と娯楽がひしめくにぎやかなマトリックスに常時つながる手段となり、人々の日常体験を根底から変えている。しかし二〇〇七年一月開催のマックワールドエキスポで行なわれた有名な基調講演にスティーブ・ジョブズが登壇してiPhoneをお披露目したとき、彼が描いてみせた未来図はそこまで壮大なものではなかった。

初代iPhoneの最大のセールスポイントは、iPodと携帯電話を一つにしたこと、つまり別々のデバイスを二つポケットに入れて持ち歩く必要がなくなったことだった（初代が発表されたとき、私がiPhoneのメリットと解釈したのは確かにそれだった）。それゆえ、基調講演中にステージ上でiPhoneのデモを見せたジョブズは、冒頭の八分間をメディア関連機能の紹介に費やしたあと、こう締めくくっている。「これこそアップルが作った過去最高のiPodです！」[1]

iPhoneのもう一つの大きなセールスポイントは、電話をかけるという行為を簡単にするたくさんの機能だった。iPhoneのインターフェースをより使いやすくしようと、アップルが電話会社AT&Tに迫って留守電《ボイスメール》システムを開放させたことは当時大きなニュースになった。また、電話番号を探すには画面を指でスクロールするだけという単純さ、そして画面上にダイヤルパッドが表示されるためプラスチックの物理ボタンが不要になったことに、ステージ上のジョブズは見るからに興奮していた。「キラーアプリは電話です」[2]ジョブズはそう宣言し、会場は沸いた。現在のスマートフォンの主な使い道になっているメッセージアプリやモバイルインターネット接続の改良といった機能がようやく紹介されたのは、この有名な基調講演の開始から実に三三分が経過してからだった。

結果的に先見性に欠ける基調講演になったのは、ジョブズが講演の後半にサプライズを仕掛けたかったからではないことを確認したくて、私は初代ｉＰｈｏｎｅ開発チームの一員だったアンディ・グリニョンに取材した。「私たちが作ろうとしたのは、電話もできるｉＰｏｄでした」[3]とグリニョンは認めた。「チームに与えられた最大の使命は、音楽の再生と通話ができるデバイスの開発だったんです」グリニョンの説明によれば、スティーブ・ジョブズはｉＰｈｏｎｅ開発開始当初、サードパーティが開発した多種多様なアプリを動かせる多目的モバイルコンピューターというコンセプトに否定的だった。「どこかのぼんくらプログラマーが書いたプログラムを許可したせいでｉＰｈｏｎｅが不調になるようなことがあったら、そのときこそユーザーは最小限の操作で九一一に電話したくなるだろう」そのころジョブズはグリニョンにそんなことを言ったという。

二〇〇七年に初代ｉＰｈｏｎｅが出荷された時点でＡｐｐ《アップ》ストア（アップルが運営するアプリ提供・販売サービス）は存在せず、ソーシャルメディアの通知も、撮影した写真を即座にインスタグラムに投稿する機能も搭載されていなかった。つまり、夕食のテーブルの下で画面を何度もチラ見する理由は一つもなかったということだ。スティーブ・ジョブズはそれでまったく問題ないと考えていたし、この時期に初めてスマートフォンを購入した数百万のユーザーも同じだった。フェイスブックをいち早く利用し始めた人々と同様、この光り輝く最新ツールと私たちの関係がその後の数年で劇的に変わるなんて、ほとんど誰も予想していなかったのだ。

■　■　■

ソーシャルメディアやスマートフォンといった新しいテクノロジーが二一世紀の暮らしを大きく変えた事実は、誰もが認めるところだろう。この変化を語る言葉はそれこそ無限にある。社会評論家のローレンス・スコットは次のように的確に表現した。つねに誰かとつながっている現代の日常の「どれか一瞬だけを切り出すと、奇妙に平面的に感じられる」[4]。

この考察の注目すべき点は、多くの人が忘れている事実――社会を変貌させたその変化は、大規模で天地をひっくり返すようなものであったことはもちろん、予想外かつ計画外のものでもあったこと――を強調しているところにある。二〇〇四年、クラスメートについて調べるために thefacebook.com にアカウントを開設した大学四年生はおそらく、のちの平均的ユーザーがソーシャルメディアとその関連メッセージサービスの利用に一日二時間を費やし、しかもその半分近くをフェイスブック関連の製品のみに集中させることになるとは夢にも思っていなかっただろう。同様に、二〇〇七年に音楽再生機能が目当てでｉＰｈｏｎｅを購入した新しもの好きは、〝一〇年後にはそのデバイスを日に八五回もチェックせずにいられなくなりますよ〟と予言されたとしても、醒《さ》めた反応を返したことだろう。その〝機能〟は、有名な基調講演の原稿を準備中のスティーブ・ジョブズの頭を一度もよぎらなかったことを、いまの私たちは知っている。

この変化は私たちが気づかぬうちにすばやく忍び寄ってきた。ここ一〇年の急激な変化のさなかに一歩下がって時間を稼ぎ、自分たちは何を求めているのかと自問する暇は、私たちには与えられなかった。新しいテクノロジーを日常という領地の境界線あたりにとりあえず置いておいたら、ある朝目が覚めると領地の重要な拠点をそれに占領されていたようなものだ。私たちは、いま暮らしているデジタル世界に好き好んで〝登録〟したわけではない。変化に追い立てられ、よろめきながら後ずさりしていって着いた先が、いまいるこの世界だったのだ。

これらのツールについて文化の観点から議論する際、この微妙な違いは見逃されやすい。私の見たところ、新しいテクノロジーについての懸念が世間で取り沙汰されると、テクノロジー擁護派はすかさず論点をずらそうとする。たとえば、売れないアーティストがソーシャルメディアを通じてファンを獲得したとか、海外に派遣された兵士がワッツアップ（スマートフォン向けメッセージアプリ）を利用して祖国にいる家族とメッセージをやりとりしているといった実例を挙げて、新しいテクノロジーの有益性に話を持っていく。そして、無益と断じてそれらのテクノロジーを否定するのは誤りだと言う。この戦略一つで、たいがいの論争に決着がつく。*

テクノロジー擁護派の主張は間違ってはいないだろうが、的はずれだ。世の中の人々が不安を募らせている理由は、デジタル・ツールの有益性とされる側面にはないのだから。たとえば、平均的なソーシャルメディア・ユーザーにフェイスブックやインスタグラム、ツイッターを利用しているのはなぜですかと尋ねれば、それなりに納得できる回答が返っ

*この例は私自身の経験に基づいている。二〇一六年秋、カナダ放送協会のラジオ番組に出演し、私が《ニューヨーク・タイムズ》紙に寄稿していたキャリア向上におけるソーシャルメディアの利点を疑問視するコラムをテーマとして、インタビューを受けた。番組開始直後、私には知らされていなかったサプライズゲストが登場した。ソーシャルメディアを活用して作品のプロモーションを行なっているアーティストだった。皮肉なことに、そのアーティストはインタビューが始まってまもなく（自分から）認めた――ソーシャルメディアに気を取られて集中できないため、最近では創作に専念したいときは、長期間にわたってソーシャルメディアの利用を一時休止するようにしている、と。

てくる。どのサービスにもおそらく、ほかのサービスにはないメリットがあるからだ――兄弟姉妹の子供の成長を写真でシェアできるとか、ハッシュタグを使って草の根運動の進展を追えるとか。

しかし不安感の原因は、そのような薄切りの実例からは見えてこない。生活に受け入れた当初はそれぞれごく小さな役割しか担っていなかった新しいテクノロジーが、全体ではいつの間にかそれを大幅に超える存在になっていたという、より分厚い現実と正面から向き合ったとき初めて不安の理由が鮮明になる。それらのテクノロジーは、私たちの行動や気分に及ぼす影響力をじわじわと強めてきた。そしていつしか健全な範囲を超えた量の時間がそれに食われ、その分、もっと価値の高いほかの活動が犠牲にされている。つまり、私たちが不安に思うのは、〝コントロールを失いかけている〟という感覚があるからだ。その感覚は、日々、さまざまに形を変えて表面化する。子供を風呂に入れていて、携帯電話が手の届かないところにあるとき。この瞬間を写真に記録してバーチャルな観客に見せなくてはという強烈な衝動に邪魔されて、いま目の前で起きているできごとをただ楽しむことができないとき。

有益かどうかは問題ではない。主体性が脅《おびや》かされていることが問題なのだ。となると、次に問うべき質問は、私たちはなぜこんな状態に陥ったのかということだろう。私が知るかぎり、日常のなかのオンラインで過ごす部分に振り回されている人々の大半は、意志が弱いわけではないし、愚かなわけでもない。順調なキャリアを歩むプロフェッショナルや勉学に励む学生、愛情に満ちた父親や母親ばかりだ。みな能力が高く、目標達成に向けて懸命に努力するのがふつうだと思っている。ところが、日常のいろいろな場面で顔を出すほかの誘惑は退けられるのに、スマートフォンやタブレットのスクリーンの奥から手招きしているアプリやウェブサイトにはなぜか抵抗できず、本来の役割をはるかに超えて生活のあちこちに入りこまれてしまう。

なぜこんなことが起きているのか。最大の原因は、それらの新しいツールの大多数は、表面上は無害と見えても、実はそうではないという点にある。スクリーンの誘惑に屈してしまうのは、その人がだらしないからではない。使わずにいられないようにするために何十億、何百億ドルもの資金が投じられているからだ。少し前に、私たちはよろめきながら後ずさりしていって現状のデジタル・ライフに足を踏み入れたと述べた。次のセクションで詳しく説明するように、もしかしたら、ガジェットやアプリが支配する文化から巨万の利益を得られることに気づいた高性能デバイス・メーカーや注意経済《アテンション・エコノミー》時代のコングロマリットに、力尽くでそこに押しこまれたというほうが当たっているかもしれない。

HBOテレビのトーク番組《リアル・タイム・ウィズ・ビル・マー》は毎回、司会者ビル・マーの独白で終わる。話題はたいがい政治だ。しかし二〇一七年五月一二日の放送回は違った。マーはカメラをまっすぐに見つめると、こう話した。

ソーシャルメディアの巨大企業は、よりよい世界を築こうとがんばっている友好的なテックの神々であるふりをやめ、自分たちは依存性の高い商品を子供たちに売りつける、Tシャツを着たタバコ農家であると認めるべきです。なぜなら——はっきり言いましょう——〝いいね〟がついたかどうか確認する行為は、喫煙と同じくらい依存性が高いからです。[5]

ソーシャルメディアに対する懸念をビル・マーに抱かせたのは、この前月に放送されたCBSテレビのドキュメンタリー番組《60ミニッツ》の特集だった。〈ブレイン・ハッキング〉と題されたその特集は、ジャーナリストのアンダーソン・クーパーによるインタビューの模様から始まった。インタビューの相手は、きちんと手入れされた無精髭に薄茶の髪の細身のエンジニアだ。シリコンヴァレーの若年層から圧倒的な支持を得ている人物で、名前はトリスタン・ハリス。スタートアップを起業したのち、エンジニアとしてグーグルに勤務していたが、用意された道を自らはずれ、テクノロジー業界という閉じられた世界ではきわめてまれな生き方を選択した――内部告発者となったのだ。

「こいつはスロットマシンなんです」[6]インタビュー開始からまもなく、ハリスは自分のスマートフォンを持ち上げてそう言う。

「スロットマシン？　どういう意味でしょう」クーパーが訊き返す。

「携帯をチェックするのは、〝さあ、当たりは出るかな〟と期待しながらスロットマシンのレバーを引くようなものだからです」ハリスは答えた。「ユーザーが製品を使う時間をできるかぎり長くするために（テクノロジー企業が）使うテクニック集が存在するくらいです」

「シリコンヴァレーは、アプリをプログラミングしているのでしょうか。それとも人をプログラミングしているのでしょうか」クーパーが尋ねる。

「人を、です」ハリスは答える。「テクノロジーは善でも悪でもないとよく言いますよね。どのように使うかを決めるのは使う側だという意味で。しかし、実際にはそうではなくて――」

「テクノロジーは中立ではないということですか」クーパーが質問をはさむ。

「中立ではありません。ユーザーに一定の方法で長時間使わせることを目的としています。企業はそこから利益を得ているわけですから」

《リアル・タイム》のビル・マーは、似たやりとりを前にもどこかで見たぞと考えた。そして《60ミニッツ》のインタビュー映像を自分の番組内で紹介したあと、マーは皮肉めいた調子でこう問いかけた。「同じ話を前にも聞いた覚えがありますが、はて、どこでだったか」ここで画面は切り替わり、ジャーナリストのマイク・ウォレスが一九九五年、タバコ業界の内部告発者ジェフリー・ワイガンドに行なった有名なインタビュー映像が流れる。このなかでワイガンドは、世間がすでに抱き始めていた疑念は事実であると認めた――大手タバコ・メーカーは、タバコの依存性を高めて販売していると証言したのだ。

「タバコ・メーカーのフィリップ・モリスが狙ったのはあなたの肺でした」ビル・マーはこう締めくくった。「しかしAppストアは、あなたの魂を乗っ取ろうとしているのです」

■ ■ ■

ハリスが内部告発者に転じたのは異例なことだった。というのも、告発に至るまでの経歴は、シリコンヴァレーの基準に照らし合わせれば、ごく平均的なものだからだ。私が本書を執筆している時点で三十代なかばのハリスは、サンフランシスコのベイエリアで育った。多くのエンジニアと同じように、子供のころからマッキントッシュを改造したり、コンピューターのプログラムを書いたりしていたという。スタンフォード大学でコンピューターサイエンスを専攻し、修士課程に進んで、実験心理学者B・J・フォッグ主宰のパースエイシブ・テクノロジー・ラボ——テクノロジーを使って人の思考や行動を変える方法を研究するラボに参加した。フォッグは〝億万長者メーカー〟としてシリコンヴァレーに名を轟《とどろ》かせている人物だ。彼のラボで得た知識を活かし、テック系スタートアップの立ち上げに関わって大成功を収める例は後を絶たない（インスタグラムの共同創業者マイク・クリーガーをはじめ、出身者には数多くのドットコム長者がいる）。ハリスも例に漏れずこのラボで人の心とデバイスの相互作用について必要な知識を身につけたあと、修士課程を中退してアプチャー社を立ち上げた。アプチャーのポップアップ・プラグインをウェブサイトに導入すると、閲覧者はそのページを離れることなく気になる言葉の関連情報を閲覧することができ、結果的にそのサイトの閲覧時間が延びる。

二〇一一年、アプチャーはグーグルに買収され、ハリスはメールアプリ「Ｉｎｂｏｘ」

開発チームに配属された。ハリスのなかで懸念がふくらみ始めたのは、グーグルで何億もの人々の行動に影響を及ぼしかねない製品開発に取り組んだこの時期だった。バーニング・マン（ネバダ州の砂漠に開催期間中だけ造られる〝都市〟で一週間、日常から切り離された生活を体験するフェスティバル）に参加して、価値観がひっくり返るような経験をしたあと、ハリスはキャメロン・クロウ監督・脚本のあの映画（「ザ・エージェント」のこと）を地で行くかのように、一四四枚のスライドから成る宣言書《マニフェスト》を作成した。タイトルは〈注意散漫を誘う回数を最小限にしよう、ユーザーの注意関心を尊重しよう〉。ハリスはまずグーグル社内の少数の親しい同僚にそれを送った。マニフェストはまもなく社内の数千人に転送された。グーグルの共同創業者で当時CEOだったラリー・ペイジも見た。そしてハリスを呼んで彼の大胆な発想を説明させると、〝製品哲学担当者〟というポストを新たに作ってハリスに与えた。

しかし――変化らしい変化は起きなかった。二〇一六年、月刊誌《アトランティック》の特集に登場したハリスは、変革が起きないのはグーグルに〝事なかれ主義〟が蔓延《まんえん》しているから、そして彼の主張を本当には理解していないからだと断じた。軋轢《あつれき》の主な原因は、言うまでもなく、それよりもずっと単純な事実だろう。注意散漫を誘う回数を最小限にし、ユーザーの注意関心を尊重すれば、会社の収益は減る。利益をもたらすのはユーザーが常習的に使うことなのだから。ハリスもいまはそのことを認め、アテンション・エコノミーがグーグルのような企業を〝脳幹の最深部めざして突き進むレース〟[7]に駆り立てていると主張する。

というわけで、ハリスはグーグルを退職してタイム・ウェル・スペントという非営利団体を設立し、「広告ではなく人のために働く」[8]ことをテクノロジーに求めるという理念を掲げて、テクノロジー企業は私たちの脳と心をどこまでも〝ハイジャック〟しようとしているという警告を公《おおやけ》の場で発した。

私が住むワシントンDCではよく知られていることだが、最大の政治スキャンダルとは、すでに多くの人が懸念していることがらが事実であると裏づける種類のものだ。それをふまえてこの件を見ると、ハリスの告発が熱狂的に歓迎されたことに納得がいく。最初の告発のあと、ハリスは《アトランティック》誌の特集で大きく取り上げられ、《60ミニッツ》やニュース番組《PBSニュースアワー》のインタビューを受け、またTEDカンファレンスにも招かれてプレゼンテーションを行なった。人々があまりにも簡単にスマートフォンの〝奴隷〟にされていくことに疑念を漏らす声はその何年も前から出てはいたが、大げさに騒ぎすぎているといわれて相手にされなかった。そこにハリスが登場し、いよいよ多くの人が疑い始めていることは事実であると告発した。アプリや巧みにデザインされたサイトは、ビル・マーの表現を借りるなら、〝よりよい世界を築こうとがんばっている友好的なテックの神々〟からの贈り物ではなかった。私たちのポケットにスロットマシンを入れるために作られたものだったのだ。

みんなが使っているデバイスには危険が隠されていると、ハリスは信念と勇気を持って警告した。その危険がもたらす最悪の影響を振り払うにはまず、最良の人生を送ろうという私たちの意志がデバイスによって簡単にくじかれるのはなぜなのかについて、理解を深めなくてはならない。幸いなことに、理解を導いてくれるすばらしいガイドがいる。依存性のあるテクノロジーがはらむ倫理的な問題を解決しようとハリスが格闘していたのとちょうど同じころ、ニューヨーク大学マーケティング学科の若き准教授がテクノ依存症の仕組みの解明に取り組んでいた。

■ ■ ■

二〇一三年まで、アダム・オルターはテクノロジーを研究のテーマにしようと考えたことは一度もなかった。[9]プリンストン大学で社会心理学の博士号を取得したのちビジネススクールで教鞭を執るようになったオルターの専門は、日常生活で起きるものごとが人の思考や行動に及ぼす影響という、間口の広い分野だった。

たとえば、オルターの博士論文のテーマは、ある人物と別の人物にたまたま何らかの共通点があると、互いに抱く感情が変化するというものだった。オルターによれば、「一例を挙げると、何か恐ろしいことをしでかした人物と誕生日が同じだったら、それを知らなかったときよりはるかに強い憎悪を抱くようになります」。

オルターの最初の著作『心理学が教える人生のヒント』（日経BP／原題 *Drunk Tank Pink*）には、ごく些細な環境要因が人の行動に大きな変化をもたらす似たような事例が数多く挙げられている。タイトルの〝トラ箱《ドランク・タンク》ピンク〟は、シアトルの米海軍更生施設の事例に言及したもので、酔って暴れる在監者を胃腸薬ペプトビスモルの瓶《びん》のような明るいピンク色に塗った待機房に一五分ほど入れておくと、目に見えて気分が落ち着くのだという。壁がピンク色の教室で授業を受けたカナダの小学生にも同じ効果が確認された。また、出会い系サイトのプロフィール写真で赤いシャツを着ていると、ほかの色のシャツを着ていた場合と比べて関心を寄せるユーザーが大幅に増えるとか、発音の易《やさ》しい名前を持つ人物のほうが法曹界での出世スピードが速いといった例も挙げられている。

二〇一三年、オルターのキャリアを転換させるきっかけとなったのは、ニューヨーク発ロサンゼルス行きの大陸横断のフライトだった。「搭乗前は、機内で仮眠を取ったり仕事をしたりするつもりでいました」とオルターは話す。「ところが、飛行機が滑走路に向けて動き始めたところで、携帯電話で《2048》という単純なパズルゲームを始めてしまったんです。六時間後に着陸した時点でもまだプレイしていましたよ」

『心理学が教える人生のヒント』出版後、オルターは次の研究テーマを探していた。そしてそのことを考えるたびに重要な問いに立ち返ることになった。「私たちの日常生活を形作る最大の要因は何か」六時間のフライト中、強迫観念にとらわれたかのようにゲームをプレイし続けたその日、その問いの答えがふいに鮮やかな像を結んだ――スクリーンだ。

言うまでもなく、スマートフォンやビデオゲームなどの新しいテクノロジーとのどう見ても不健康な関係に批判的な目を向けている人々は、この時点ですでに数多くいた。しかしオルターがほかの人々と違ったのは、心理学の専門家であることだ。彼は文化的な現象という観点からこの問題に取り組むのではなく、心理学的な根本原因に注目した。新たな視点から問題を分析したことにより、オルターは思ってもみなかった分野へ分け入ることになった――依存の科学だ。

〝依存〟という言葉は多くの人の耳に恐ろしげに響く。ポップカルチャーが描く依存のイメージは、母親の宝石をこっそり持ち出して売り払い、その金で次のクスリを買う麻薬常用者だろう。しかし心理学者による依存症の入念な定義は、そういったセンセーショナルなイメージとはかけ離れている。代表的な例を次に挙げよう。

依存症とは、有害な結果が生じるにもかかわらず、その報酬効果が強迫的誘因となって特定の物質の使用や行為を繰り返す状態を指す。[10]

最近まで、依存症を引き起こすのはアルコールや麻薬など、人の脳内化学物質にじかに作用する精神活性化合物を含む物質だけと考えられていた。しかし二〇世紀の終わりから二一世紀の始まりにかけて、物質の摂取を伴わない行為も、右に挙げた専門的定義に当てはまることを示す研究結果が数多く公表された。たとえば、二〇一〇年に学術誌《アメリカン・ジャーナル・オブ・ドラッグ・アンド・アルコール・アビューズ》に掲載されたある重要な調査論文は、「行為依存は多くの領域において物質依存に類似していることを示す証拠が増えている」[11]と結論している。そして、とりわけ広く認められた例として二つ、ギャンブル依存やインターネット依存を挙げた。アメリカ精神医学会が二〇一三年に出版した『DSM-5精神疾患の診断・統計マニュアル』では、行為依存が診断可能な障害に新たに追加された。

ここでアダム・オルターの話に戻ろう。オルターが関連の心理学文献に目を通し、関連のテクノロジー業界の人々に取材を重ねた結果、次の二点が明らかになった。第一に、新しいテクノロジーは行為依存を助長するのに適したツールであることだ。オルターによれば、テクノロジーに関連する行為依存の症状は、麻薬やタバコの薬物依存の強さと比較すれば〝軽度〟である場合が多い。たとえば、誰かにフェイスブックを強制的にやめさせたとして、その誰かは激しい禁断症状に苦しむことはないだろうし、夜中にこっそり抜け出してネットカフェに行き、気分を落ち着かせようとすることもないだろう。それでも行為依存は、人の健康や幸福に大きな害を及ぼす。フェイスブックにアクセスしたくて夜中に部屋を抜け出すまでもなく、ポケットのスマートフォンを取り出して一つタップするだけでアクセス可能だとしたら、たかが軽度の行為依存であろうと、朝から晩までひたすらアカウントをチェックしたいという衝動に逆らうのはおそろしく困難になる。

オルターのリサーチの過程でもう一つ判明したことは、それ以上に不吉なものを予感させる。トリスタン・ハリスが警告したとおり、新しいテクノロジーへの依存に認められる特徴は、多くの場合、偶然の産物ではない。巧妙にデザインされた機能によって引き起こされたものなのだ。

オルターの結論は、おのずと次のような疑問につながる。新しいテクノロジーはなぜ、行為依存を助長するのに適しているのか。このテーマに関するオルターの研究を詳述した二〇一七年刊行の『僕らはそれに抵抗できない――「依存症ビジネス」のつくられかた』（ダイヤモンド社）は、私たちの脳を惑わせて不健全な使用を促す狙いでテクノロジー製品に〝投入されている成分〟を数多く取り上げている。そのなかから、この本のテーマにとりわけ関係が深いというだけでなく、テック企業がどのようにして行為依存に拍車をかけているかを調査した私のリサーチでも繰り返し現われた二つについて、ここで簡単に紹介したい。〝間歇《かんけつ》強化〟と〝承認欲求〟である。

人の脳はこの二つからの影響をきわめて受けやすい。この事実が重要なのは、暇さえあればスマートフォンをチェックしたりブラウザのタブを開いたりさせるアプリやウェブサイトの多くは、この二つの罠を利用してユーザーが誘惑に抵抗できないようにしているからだ。これを理解するために、一つずつ詳しく見ていこう。

■■■

まずは最初の一つ——間歇強化だ。マイケル・ゼイラーが有名なハトの実験を行なった一九七〇年代[12]から、決まったパターンで報酬を与えられるよりも、予期せぬパターンで与えられたほうが喜びが大きくなることは科学者のあいだで知られていた。予想外のタイミングでもらったほうが、快感を司《つかさど》る神経伝達物質ドーパミンの分泌量が多くなるのだ。ゼイラーの実験では、ハトがボタンをつつくとランダムで餌《えさ》の粒が出てくるようになっていた。アダム・オルターの指摘によれば、二〇〇九年にフェイスブックに〝いいね〟ボタンが導入されて以来ほとんどのソーシャルメディアに設けられているフィードバック・ボタンは、同じ基本行動を模している。

「〝いいね〟ボタンがフェイスブック利用時の心理をどれほど変えたか、どんなに強調してもしすぎるということはない」[13]オルターはそう書いている。「友人の近況を知る受動的な方法として始まったものが、いまやどこまでも相互的なものに変わり、しかもゼイラーのハトたちを駆り立てたのとまったく同じ種類の不規則なフィードバックの効果を利用するようになっている」オルターはさらに踏みこんで、ソーシャルメディア・ユーザーは何かを投稿するたびに〝ギャンブル〟をしているようなものだという——〝いいね〟（あるいはハートやリツイート）をもらえるか、それとも何のフィードバックもないまま放置されるか。前者は、あるフェイスブックのエンジニアの呼び方を借りるなら「まがいものの幸福感をもたらす高らかな鐘《かね》の音」[14]であり、後者は悲しい気持ちにさせるものである。いずれにせよ、結果は予想できない。つまり依存の心理学が示すように、投稿してはチェックするという行為が狂おしいほど魅力的に思えてくる。

だが、ランダムな報酬と強化という特性を持つネット上の行動は、ソーシャルメディアからのフィードバックだけではない。特定の情報を求めてどこかのウェブサイトを訪問したのに——たとえば、天気予報を調べたくて新聞社のサイトを開いたのに——ついあちこちのリンクをクリックして記事から記事へと渡り歩いてしまい、気づいたら三〇分も過ぎていたといった経験を持つ人は少なくないだろう。これもまた、ランダムな報酬によって引き起こされる行動だ。ほとんどの記事は〝はずれ〟だが、義憤であれ笑いであれ、何らかの強烈な感情をかき立てる記事にときどき〝当たる〟。おもしろそうな記事タイトル、おもしろそうなリンクをクリックするという行為もまた、たとえるなら、スロットマシンのレバーを引くのと同じなのだ。

テクノロジー企業はこのランダムな正のフィードバックの罠の威力にむろん気づいていて、それを意識しつつ、訴求力をいっそう強めようと製品を改良し続けている。トリスタン・ハリスはこんな風に説明する。「アプリやウェブサイトは、予想不能なパターンで報酬を与える仕組みを製品のあちこちにちりばめています。それが金銭的利益を生むからです」注意を誘う通知バッジ、おもしろいかもしれない次の投稿や次の記事をスワイプ一つで表示させられる痛快さ。これらはたいがい強烈な反応を引き出すことを狙って巧妙に作られている。ハリスが指摘するように、フェイスブックの通知のシンボルは、もとはサイト全体の色調に合わせた青だったが、「誰も使わなかった」[16]。そこで警告色である赤に変更したところ、クリック数は急増した。[15]

これに関して内情をもっともわかりやすく暴露した発言はおそらく、二〇一七年秋、フェイスブックの初代CEOショーン・パーカーがあるイベントの席上、フェイスブックがユーザーの注意を引きつけるために使った巧妙な手法について、何気なく漏らした次のような言葉だろう。

フェイスブックを先駆とするこういったアプリケーションの開発者の思考プロセスは……要するに〝どうしたらユーザーの時間や注意関心を最大限に奪えるか〟だ。自分の写真や投稿や何やらに〝いいね〟やコメントがつくと、ユーザーの脳内にわずかながらドーパミンが分泌される。これが一番手っ取り早い。[17]

コンテンツを投稿し、ランダムなタイミングで少しずつフィードバックが増えていくのを見守る——その繰り返しがこういったサービスの原動力と思えるが、しかし、トリスタン・ハリスの指摘によると、それはソーシャルメディアが選択できる数多くの方策のなかの一つにすぎない。覚えているだろうか。黎明期のソーシャルメディア・サイトにはフィードバックの要素はほとんど盛りこまれておらず、投稿と情報入手を中心に運営されていた。そして、ソーシャルメディアが生活のなかで重要な位置を占める理由として現在でもユーザーが挙げるのは、たいがいがフィードバック制導入前の特徴だ。たとえばフェイスブックの利用を正当化しようとするとき、友人一家に赤ちゃんが誕生したのをすぐに知ることができるからなどと言う。これは一方通行の情報伝達であって、（このニュースをみんなが〝いいね〟と思うのは言うまでもないこととして）フィードバックは必要ない。つまり、ほとんどのソーシャルメディア・サービスに浸透しているランダムなフィードバックは、サービスに絶対に必要な要素というわけではない。この機能を取り払ったとしても、ユーザーが得るメリットが減少することはないだろう。それでもこの仕組みが広く取り入れられている理由は、ユーザーに画面を見つめ続けさせる効果が絶大だからだ。《60ミニッツ》で自分のスマートフォンを見せて「こいつはスロットマシンなんです」と発言したとき、トリスタン・ハリスが何より伝えたかったことは、これらがいかに人の心理に強い影響を及ぼすかということだった。

さて次に、行為依存を悪化させるもう一つの要素、〝承認欲求〟について考えてみよう。アダム・オルターはこう書いている。「我々は社会的動物であり、他人からどう思われているかをまったく意識せずにいることはできない」[18] これが順応行動であることはいうまでもない。旧石器時代には、部族のほかのメンバーから尊重されているかどうかは重大な関心事だった。それは生死に関わる問題だったからだ。しかし二一世紀のいま、この本能的衝動は新しいテクノロジーによって乗っ取られ、金銭的利益をもたらす行為依存を生み出すことに利用されている。

ここで、ソーシャルメディアのフィードバック・ボタンについてもう一度考えてみよう。前のセクションで考察したように、これにはランダムなフィードバックを届ける役割もあるが、それに加えてほかのユーザーによる承認という側面も持つ。インスタグラムに投稿したばかりの写真のすぐ下の小さなハートアイコンを大勢が押してくれると、部族から承認をもらったような気分になる――私たちの脳はそれを強く渇望するべく進化してきたからだ。* この進化の代償は、当然のことながら、好意的な評価が得られないと苦痛を感じることだ。これは旧石器時代人の脳にとっては一大事であり、この〝生死に関わる〟情報を抜かりなくチェックしておかなくてはという急き立てるような衝動につながりうる。

この承認欲求の力を侮《あなど》ってはいけない。フェイスブックの〝いいね〟ボタン開発チームのプロダクト・マネージャーを務めたリア・パールマン（二〇〇九年にこの新機能を発表するブログ記事を執筆した人物）は〝いいね〟ボタンの負の威力を懸念し、小さな会社の経営者となった現在では、承認欲求を煽《あお》るフェイスブックの影響にさらされずにすむよう、ソーシャルメディア担当者を雇って自分のフェイスブックのアカウントを管理してもらっているという。「新しい通知があってもなくても、どのみちそこまで気分は上がりません」[19]ソーシャルメディアの通知をチェックすることについて、パールマンはそう言う。「何を期待しているにせよ、それが完全に満たされることはないんです」

このところ十代の若者がスナップチャットの〝スナップ連続更新記録《ストリーク》〟がストップしないよう腐心している背景も、承認欲求の一例と考えられる。毎日欠かさずスナップを交換

＊人間の〝集団志向〟の進化、そして私たちが世界を見る目にそれがどれほど大きな影響を与えているかを学ぶ入門書として、ジョナサン・ハイトによる啓蒙的な一冊『社会はなぜ左と右にわかれるのか――対立を超えるための道徳心理学』（紀伊國屋書店）をお勧めしたい。

し続ける行為を通じて、友達との絆の強さを確認して安心できるからだ。また、若者にかぎらず、不適切だったり危険だったりする状況（例：自動車の運転中）でも、メールやメッセージを受け取ったらすぐに返信しなくてはと焦る気持ちも説明できる。私たちの旧石器時代人の脳は、新着メールを放置するのは焚き火を囲んでいるとき脇腹をつついて自分の注意を引こうとしている部族の仲間を無視するのと同じ、命を脅かしかねないエチケット違反であると認識するからだ。

　テクノロジー業界は、周囲からの承認を求める本能を巧みに利用する腕を磨いてきた。とりわけソーシャルメディアは、友達がいまこの瞬間にあなたのことをどれだけ気にかけているか（または気にかけていないか）、情報の奔流としてあなたに注ぎこむ技を熟知している。トリスタン・ハリスは、フェイスブックやスナップチャット、インスタグラムといったサービスで提供されている写真のタグ付け機能を例に挙げた。[20]新しい写真を投稿すると、その写真に写っているほかの人々に〝札《タグ》〟を追加できる。このプロセスで、タグを付けられた側のユーザーには通知が送られる。ハリスの説明によると、こういったサービスでは、タグ付けのプロセスはほぼ完全に自動化されている。最新の画像認識アルゴリズムを使って写真に写っている人々の顔を見分けて候補を提示し、クリック一つでタグが付けられるようになっているのだ。たとえば〝タグを付けますか……？〟のような、はい／

いいえで簡単に答えられる質問に答えるだけでいい。

クリック一つだから、タグを付ける側に負担らしい負担はない。タグを付けられる側も、このプロセスで送信される通知を受け取り、〝誰それが自分のことを考えてくれていた〟ことを知って社会的な満足感を得られる。こういった自動タグ付け機能の開発に企業が多額の資金を投じたのは、自社サービスの有用性を向上させることを念頭に置いてのことではなかったとハリスは言う。投資の真の目的は、アプリを通してユーザーに送り届ける、社会的な承認という小粒でも中毒性の高い黄金を増やすことにあった。

ショーン・パーカーは、これらの機能の設計哲学を述べるなかでこう言っている。「社会的証明のフィードバック・ループ……いかにも私のようなハッカーが思いつきそうな手法だね。人の心理の弱点を食いものにするわけだから」[21]

■　■　■

少し話を戻して、現状をもう一度確認しておこう。ここまでのセクションでは、自分のデジタル・ライフがコントロール不能に陥ってしまったように感じている人がこれほど多い理由について、悲惨な状況を詳しく述べることで説明してきた。すなわち、この一〇年ほどのあいだに登場した見栄えのよい新しいテクノロジーは、行為依存を助長することにとりわけ優れており、有益な、あるいは健全な限度を超えて使い続けるよう人々を誘導する。トリスタン・ハリスやショーン・パーカー、リア・パールマン、アダム・オルターら、業界の内幕を暴露した人々や研究者が指摘するように、これらのテクノロジーは多くの場合、使うのを我慢できなくなることを第一に考えて設計されている。ここで強調しておきたい点は、抵抗できないのは個人の自制心に問題があるからではなく、莫大な利益を生むように策定されたビジネスプランが現実になっただけということだ。

私たちは現状のデジタル・ライフに望んで〝登録〟したわけではない。いまあるこの世界は、テクノロジー業界に出資した一握りの投資家に儲けさせることを最優先に役員会議室で作り上げられたものといっても大げさではないのだ。

魂を乗っ取られるな

ここまで見てきたように、私たちが新しいテクノロジーに抱いている不安は、テクノロジーが有益であるかどうかという問題とは関係がない。主体性が脅かされていることが問題なのだ。私たちがこういったサービスを利用したりデバイスを購入したりした動機は、友人の交際状況を知りたかったとか、iPodと携帯電話を別々に持ち歩かずにすませたかったとか、ささやかなものだった——なのに、数年後にふと立ち止まってみると、それらの影響にいよいよ支配され、時間の使い方やその時々の気分や行動を自分で決めるのではなく、サービスやデバイスにまかせるようになっていた。

この一〇年ほどでこれらのツールによって〝人間らしい部分〟が攻略されてしまったという事実は、驚くに値しない。この章で詳しく述べてきたように、私たちは勝ち目のない軍拡競争に巻きこまれている。私たちの主体性を侵害しているテクノロジーは、人間の脳の奥深くにある弱点をピンポイントで攻撃するスキルを着々と磨いてきた。一方の私たちは、ここに至ってもまだ、自分たちはテックの神々が与えたもうた楽しい贈り物で遊んでいるだけのことと無邪気に思いこんでいる。

ビル・マーは「Appストアは、あなたの魂を乗っ取ろうとしている」とジョークを言った。しかしこのジョーク、実はいいところを突いている。プラトンの『パイドロス』でソクラテスが有名な馬車の比喩を用いて説明したように、人の魂は、二頭の馬を操ろうとしている御者にたとえることができる。一頭は節度を持った馬、もう一頭は欲望に屈しがちな馬だ。主体性を放棄してデジタル・ツールに選択を委ねれば委ねるほど、後者の馬の力が強くなり、御者がどんなに奮闘しようと馬車をまっすぐ進ませるのは困難になっていく——つまり、魂の権威が衰える。

　こうした観点から見ると、闘わずに負けるわけにはいかないと思わずにはいられない。そして闘うためには、腹の据わった戦略が必要だ。私たちを行為依存へ誘いこもうとしている力を払いのけるために特別に立案した戦略、目標達成を邪魔させるのではなく後押ししてもらうために新しいテクノロジーをどのように利用すべきかを定めた具体的なプランが必要なのだ。デジタル・ミニマリズムは、まさにそのような戦略の一つだ。次の章で、その詳細に目を向けるとしよう。

2　デジタル・ミニマリズム

ライフハックじゃ足りない

この章の執筆に取りかかったころ、〈私がスマートフォン依存を断《た》てたわけ——あなたもできる〉というタイトルの署名記事が《ニューヨーク・ポスト》紙に掲載された。どうやって依存を断ったか？　iPhoneで使っている一一二個のアプリの通知を切ったのだ。その記事は「コントロールを取り戻すのは意外に簡単だった」[1]と楽観的な調子で締めくくられていた。

テクノロジー・ジャーナリズムの世界には、この手の記事があふれている。書き手はデジタル・ツールとの関係が不健全なものになりつつあることに気づいて危機感を抱き、気の利いた〝ライフハック〟を取り入れ、状況は大幅に改善したと興奮気味に報告する。ちょっとした工夫をしただけで解決したというこの手の話を見聞きするたび、私はいつも、そううまくいくものだろうかと思う。似たトピックを探求してきた経験から言うと、小ワザだけに頼ってデジタル・ライフを根本的に改善するのは難しい。

厄介なのは、新しいテクノロジーをめぐる大きな問題は小さな変化では解決できないことだ。改善すべき課題は私たちの文化に深く根を下ろしている行動原理であり、前の章で述べたように、それは人の意識に強く働きかけて本能的衝動を刺激する心理的な力によって強化されている。主導権を取り戻すには、小手先の対処を考えるのではなく、自分が本当に大事にしていることがらを軸として、テクノロジーとの関係を一から築き直さなくてはならない。

つまり、前述の《ニューヨーク・ポスト》のコラムニストは一一二個のアプリの通知設定を見直すだけでなく、もっと根本的な疑問を自分に向けるべきだった――そもそもなぜそんなにたくさんのアプリを使っているのか。彼に必要なのは、そして似たような問題に悩む私たちすべてに必要なのは、〝テクノロジー利用の哲学〟だ。どのデジタル・ツールを、どのような理由から、どのような制約のもとに受け入れるかをゼロから選び直す基準となるような。こういった内省を経なければ、依存性が高くて見かけばかり美しいサイバー世界の小間物のつむじ風に巻かれて苦しみながら、その場しのぎのライフハックの正しい組み合わせがやってきてそこから救い出してくれるのをむなしく待つことになる。

「はじめに」でも触れたように、ぜひとも提案したい哲学が一つある。

デジタル・ミニマリズム

自分が重きを置いていることがらにプラスになるか否かを基準に厳選した一握りのツールの最適化を図り、オンラインで費やす時間をそれだけに集中して、ほかのものは惜しまず手放すようなテクノロジー利用の哲学。

デジタル・ミニマリストの生き方

この哲学を採用したデジタル・ミニマリストと呼ぶべき人々[2]は、費用対効果をつねに意識している。新しいテクノロジーが登場したとき、それを利用してもわずかな娯楽や利便性しか得られないと判断したら、初めから手を出さない。自分が大事にしていることを後押ししてくれそうだとわかった場合でも、その新しいテクノロジーは、さらに厳格な基準をもう一つパスする必要がある――目標を達成するために、そのテクノロジーを利用することが最善といえるかどうか。この基準に照らし合わせた答えがノーなら、ミニマリストは、そのテクノロジーの最適な利用法を探るか、もっとよい別の選択肢を求めて情報収集を再開する。

デジタル・ミニマリストは、通常とは逆に、自分が心から大事にしていることを基準に利用すべきテクノロジーを選び、注意散漫の元凶たる新しいテクノロジーを充実した人生を支えるツールへと変貌させる。そしてそのことによって、多くの人がますますスクリーンにコントロールを奪われていると感じ始めているなか、ミニマリストはその呪縛から解放されている。

ここで注目したいのは、デジタル・ミニマリストの哲学は、世の中の大多数の人がとくに何も考えずに採用しているマキシマリスト的な哲学、すなわち、新しいテクノロジーが目にとまったとき、それにほんのわずかでもメリットがありそうならとりあえず使ってみようという姿勢とは好対照をなしていることだ。マキシマリストは、どれほど些細なことがらであろうと、おもしろそうなこと、価値のありそうなことを自分や周囲が見逃すかもしれないと考えただけで不安になる。実際に、私がフェイスブックを一度も利用したことがないという事実を公言し始めたとき、仕事でつきあいのある人たちは、まさにそのマキシマリスト的な理由から驚愕した。そして驚かれるたびに私は「どうしてフェイスブックを使うべきだと思います？」と尋ねる。「どうしてと言われても困るけれど」と彼らは答える。「でも、何か役に立ちそうな情報があるのに、それを見逃しているかもしれないでしょう？」

この意見は、デジタル・ミニマリストの耳には馬鹿げたものとして届く。なぜなら、理想的なデジタル・ライフとは、具体的なメリットを最大限に享受できるよう、自分が使うツールを意識的に取捨選択することで作るものと考えているからだ。彼らは、自分の時間と注意を無意味に削り取ったあげく、役立つどころか損失をよこしてくるような価値の低い活動を極度に警戒する。要するに、小さなチャンスを見逃しても気にしない。それよりも、人生を充実させると確実にわかっている大きなことがらをないがしろにすることのほうを恐れるのだ。

この抽象的な考えをより具体的に理解するために、私がこの生まれたばかりの哲学についてリサーチをするなかで知り合ったデジタル・ミニマリストの実例をいくつか紹介しよう。彼らミニマリストのなかには、目標達成を後押しするか否かという条件でふるいにかけた結果、一般的には不可欠と思われているサービスやツールを排除した人もいる。たとえばタイラーだ。彼は標準的な動機から、標準的なソーシャルメディア・サービスにひととおり登録していた――キャリアアップのため、友人知人とのつながりを保つため、余暇の娯楽のため。しかしデジタル・ミニマリズムを採用したのを機に、この三つはどれも大切ではあるが、ソーシャルメディアを朝から晩まで使い続けていても、得られる利益はどれほどひいき目に見てもごくわずかであり、目標を達成するための最善の方法という条件を満たさないことに気づいた。そこで、ソーシャルメディアをすべてやめ、もっと直接的で効果的な方法を代わりに導入して、キャリアアップ、友人知人とのつながり、余暇の娯楽という目標を追求することにした。

私が初めて会った時点で、タイラーがミニマリストに転向してソーシャルメディアを排除してから一年ほど経過していた。そのあいだの生活の激変ぶりを喜んでいることが文面からも読み取れた。家の近所でボランティア活動を始め、定期的にエクササイズをし、本を月に三冊から四冊読むようになった。ウクレレの練習も始めたそうだ。携帯電話を片時も手放せなかった状態から解放されて、奥さんや子供たちとの距離もこれまでになく縮まっているという。仕事の面では、ソーシャルメディアをやめて集中力が向上したおかげで昇進した。「僕の変化に気づいてくれるクライアントもいて、以前と何を変えたのかと訊かれます」タイラーは私にそう話した。「ソーシャルメディアをやめたんですよと答えると、みんなこう言います。〝自分もやめたいが、無理だな〟って。でも本当のことを言えば、ソーシャルメディアを続ける正当な理由なんて、実は一つもないんですよね！」

タイラー本人も迷わず認めるように、彼がよいほうに変わった要因は、ソーシャルメディアをやめるという決断一つだけではない。理屈の上では、フェイスブックの利用を続けながらウクレレを始めることは可能だっただろうし、奥さんや子供たちと過ごす時間を増やすこともできただろう。しかしソーシャルメディアをすっぱりとやめるというタイラーの決断は、彼のデジタル習慣にちょっとした軌道修正を施す以上の好影響をもたらした。それは、大事なことから逆算して日々の行動を決めるミニマリスト的な哲学を自分は採用したという意識をいっそう強めるような、象徴的な行為となったのだ。

アダムもやはり、不可欠と言われてきたテクノロジーを排除するこの哲学から恩恵を得た一例だ。アダムは小さな会社を経営しており、従業員と密に連絡を取り合うことは生活の重要な一部になっていた。しかし少し前から、自分の行動は果たして九歳と一三歳の子供たちの手本となっているだろうかと不安を感じ始めた。光を放つスクリーンを離れて人生を楽しむ大切さをいくら説いても、父親が手本を示さないかぎり、その言葉は二人の心に響かないと気づいたのだ。そこでアダムは思い切った行動に出た。スマートフォンを手放し、旧来の折りたたみ式携帯電話に交換した。

「子供たちに何かを教えるのに絶好のチャンスでした」アダムはその決断についてそう語った。「私の仕事にデジタル・デバイスが必要なことは子供たちも知っていますし、私が盛んにデバイスを使っている姿も見ていました。それなのに、いきなりスマートフォンを手放したんですからね。その理由は具体的に説明できましたし、子供たちにもメッセージは伝わりました」

スマートフォンがなくなって、仕事の面でいくらか不自由が生じたとアダムは言う。とりわけ難儀させられたのは、部下とは主にテキストメッセージで業務上の連絡を取り合うため、旧態依然とした小さなプラスチックの物理ボタンを押して文字を入力するスキルを学び直すはめになったことだ。しかしアダムはデジタル・ミニマリストだ。彼にとっては利便性よりも、自分が大事にしていることに貢献してくれるテクノロジーを取捨選択することのほうが、よほど優先度が高い。父親として、スクリーンが介在しない人生を大切に生きるという貴重な手本を子供たちに示すことは、テキスト入力のスピードよりずっと価値がある。

デジタル・ミニマリストの全員が一般的なツールを一切合切排除するというわけではない。多くのデジタル・ミニマリストは、〝これを成し遂げるためにテクノロジーを利用するのは最善といえるだろうか〟という根源的な問いを出発点として、世の中のほとんどの人々が漫然と利用している数々のサービスを慎重に取捨選択している。

その一例がミハールだ。彼女は四六時中ウェブサイトを閲覧することには百害あって一利なしと気づき、ネットから情報を得る手段をニュースレター二本と少数のブログに限定した。後者は「多いときで週一度」しかチェックしない。そして、情報の入口をそこまでせばめてもなお、刺激的なアイデアや情報に触れたい欲求は充分に満たされるうえ、時間を奪われることも、感情を翻弄されることもないと話す。

別のデジタル・ミニマリスト、チャールズも、似たような体験を聞かせてくれた。以前の彼はツイッター中毒だったという。しかしデジタル・ミニマリズムを実践するようになってツイッターを退会し、代わりに厳選した少数のオンライン・マガジンのニュースレターに登録して、毎日午後に一度だけ目を通すことにした。ツイッターに夢中だったころよりかえって幅広い情報に触れられる機会が増え、またありがたいことに、ツイッターがユーザーに推奨しているような、四六時中リロードしては最新ツイートをチェックする依存状態から解放された。

デジタル・ミニマリストは、新しいテクノロジーが提供する不必要な機能を排除し、必要以上に注意を奪われることがないよう防衛しながら、自分にとって重要な機能だけを活用することに長《た》けている。たとえばカリーナは、ある学生組織の運営委員を務めていて、委員同士はフェイスブックにグループを作って連絡を取り合っている。この連絡のためにフェイスブックにログインするたび、友達の投稿など気が散るものを目にせずにすむよう、カリーナはフェイスブック上の友達を運営委員一四名に絞りこんだうえで、全員のフォローをはずした。こうすれば、フェイスブック・グループでのやりとりは続けながら、ニュースフィードは空にしておける。

また、別の一人エマは、フェイスブックの通知画面をブックマークできることに気づき、カリーナと似たような目的のために別の方法を採った。ブックマークしておけば、フォローしている大学院生グループの投稿だけが並んだページにまっすぐ飛べて、フェイスブックの気を散らす機能を迂回できる。ブレアも似たような対策を講じた。フェイスブックのイベントページをブックマークし、地域で開催されるイベントの最新情報を入手しつつ、「フェイスブックを作っているがらくた」をパスできるようにしたのだ。ブレアの話では、イベントページをブックマークしておけば、週に一度か二度、五分もあればイベントの最新情報をひととおりチェックできるという。カリーナとエマも、フェイスブックを使う時間はやはり数分ですむようになったそうだ。平均的なユーザーのフェイスブック関連製品の利用時間は、対照的に、一日当たり五〇分強といわれる。彼女たちが実行した最適化は小さなことのように思えるが、その小さなことがデジタル・ミニマリストの毎日に大きな違いを生み出しているのだ。

デジタル・ミニマリストが大事なものを新たに見いだした、とても心温まる体験談を紹介しよう。彼はデイヴというクリエイティブディレクターで、三人の子供がいる。デジタル・ミニマリズムを採用したとき、デイヴはそれまでやめたくてもやめられなかったソーシャルメディアを、インスタグラムだけに限定した。アートに強い関心を持つデイヴにとって、インスタグラムはメリットが大きかったからだ。ただし、厳格なミニマリストであるデイヴは、インスタグラムのみ〝利用しよう〟と決めただけではなかった。自分の生活にどう組み入れるのが最善か、さんざん頭を悩ませたのだ。考えに考えたあげく、たまたま進めていた個人的なアートプロジェクトの作品写真を週に一枚だけ投稿するという方針に落ち着いた。「プロジェクトの視覚的な記録を残す手段としてぴったりだと思ったんです」デイヴはそう説明した。彼がフォローしているごく少数のアカウントはどれも、デイヴにインスピレーションを与えるような作品を制作しているアーティストのものだ。つまりデイヴは、自分のフィードをチェックする行為を、時間は食わないが意義のあるものにしたといえる。

私がデイヴの体験をとりわけ気に入っている理由は、ソーシャルメディアを利用する時間を思い切って削るという決断から得られたものの大きさだ。デイヴによると、彼が大学一年生だった一年間、お父さんから週に一度、手書きの手紙が届いていたそうだ。いまもそのことを思い出すたびに心を動かされるというデイヴは、毎晩、新しい絵を一枚描き、翌日の長女のランチボックスに入れるようになった。下の二人の子供たちは、その習慣を興味深げに見守っていた。やがて下の二人も学校に行く年齢になり、自分たちのランチボックスにもお父さんの絵が入るようになって大喜びした。「あれから二年たったいま、毎晩かなりの時間を取られていますよ。三枚も描かなくちゃいけないんですから！」デイヴはいかにも誇らしげにそう言った。「時間の使い道を意識しないままでいたら、こんなことはきっとできなかったでしょう」

デジタル・ミニマリズムの三原則

この章のここまで、デジタルの暴政に抵抗する最良の方法は、自分の大事な目標を基準に定めたテクノロジー利用の哲学を持つことだと述べた。そしてそういった哲学の一例としてデジタル・ミニマリズムを提案し、実践者の例をいくつか挙げた。あなたもぜひデジタル・ミニマリズムを試してみてほしいと勧める前に、デジタル・ミニマリズムはなぜ有効なのか、詳細に説明しなくてはならないだろう。この哲学の有効性の論拠として、次に三つの基本原則を挙げる。

原則1：あればあるほどコストがかかる

デジタル・ミニマリストは、あまりにも多くのデバイスやアプリ、サービスで自分の時間や注意が埋め尽くされた状態は、一つひとつがもたらす小さなメリットの総和を帳消しにしかねないデメリットを生むことを知っている。

原則2：最適化が成功のカギである

デジタル・ミニマリストは、特定のテクノロジーが自分の大事な目標を後押しするか否かを見きわめることは、初めの一歩にすぎないことを知っている。潜在的なメリットを最大限に引き出すには、そのテクノロジーをどのように利用するかを慎重に判断しなくてはならない。

原則3：自覚的であることが充実感につながる

デジタル・ミニマリストは、新しいテクノロジーとの関わり方に自覚的であろうとする基本的な心構えから大きな喜びを得る。この喜びの源は、ミニマリストがなす個別の判断から独立しており、またミニマリズムがその実践者にとってきわめて大きな意味を持つことが多い最大の理由の一つである。

この三つに納得がいけば、デジタル・ミニマリズムの正当性はおのずと理解できるだろう。それを前提として、この章の後半では、三つの原則の正当性を一つずつ証明していく。

原則1が正しい理由：ソローの新経済論

一八四五年、三月の終わりごろ、ヘンリー・デヴィッド・ソローは斧《おの》を借りてマサチューセッツ州コンコードのウォールデン湖畔の森に向かった。[3] そこでストローブマツの若木を伐採して間柱や垂木、床材を切り出した。やはり借り物の道具を使い、木材にほぞ穴を開けて継ぎ、質素な小屋の骨格を組み上げた。

ソローはこの仕事を急がなかった。毎日、パンとバターを新聞紙でくるんで持参し、昼食のあと、その新聞に目を通した。家の建築をのんびりと続けながら、周辺の自然について気づいたことを書き留めた。冬の終わりにもまだ湖を覆っていた氷の様子を観察し、松脂《まつやに》のにおいを嗅ぎ取った。ある朝、ヒッコリーの枝で作ったくさびで修理した斧を冷たい水に浸していたとき、一匹のシマヘビが湖に入っていくのを見つけた。水底にじっと横たわったヘビを、ソローは一五分以上も眺めた。

七月、彼は小屋で生活を始め、それから二年のあいだそこで暮らした。この二年間の経験をまとめたのが『ウォールデン』で、森で暮らした動機を次のような有名な一節に記している。「森へ行ったのは、自覚的に生きたかったから、生きるのに欠かせないことがらだけに目を向けたかったからだ。人生が差し出す教訓から学べないものかどうかを確かめたかった。死の間際になって、自分は存分には生きてこなかったと気づくようなことになりたくなかった[4]」

その後の数十年で、ソローの思想はポップカルチャーに広く浸透したものの、だんだんと彼が書いた文章そのものに触れる人は少なくなって、いまとなってはウォールデン湖畔での実験的生活は詩的な色合いを帯びてきている（一例を挙げるなら、一九八九年の映画「いまを生きる」の全寮制学校の生徒は、詩の朗読サークルの秘密の会合を『ウォールデン』の「自覚的に生きる」の一節の朗読から始める）。ソローは、自覚的に生きるという主観的経験を通じて変わりたいと願ったのだろうと私たちは想像する——超絶主義の実践を通じて、ふたたび森から出るときは以前と違う人間になっているはずだったのだろうと。この解釈は完全な間違いとはいえないが、ソローの実験にあるまったく別の側面を見逃している。ソローは、人間らしさを奪いつつある産業化の悪影響を押しのけるような、新しい経済理論の構築にも取り組んでいた。自分の理論の正当性を証明するにはまだデータが足りなかった。つまり、湖畔で過ごした二年間は、不足していたデータを集めるための歳月でもあったのだ。この『ウォールデン』の実務的な側面を、私たちはぜひとも理解しなくてはならない。見落とされがちなソローの経済理論は、デジタル・ミニマリズムの第一

家	$28.12 ½
農地（1年分）	14.72 ½
食費（8カ月分）	8.74
衣類ほか（8カ月分）	8.40 ¾
燃料など（8カ月分）	2.00
合　計	$61.99 ¾

原則を証明する強力な裏づけとなるからだ。

『ウォールデン』の第一章、すなわち作品中もっとも長い章は、「経済」と題されている。自然について、人間のありようについて述べた、ソローらしい詩的で美しい文章の数々で綴られる一方で、家計費を一セントに満たない額まできっちり集計した、上のような味気ない表[5]がいくつもはさまれている。

こういった表を掲載したのは、ウォールデン湖畔での生活——その第一章で彼が長々と論じているように、食べ物、雨風をしのぐ家、防寒など、人間の基本的な欲求をすべて満たすライフスタイル——を維持するのにどれだけのコストがかかったか、（詩的に、あるいは哲学的にではなく）正確に示すためだった。そしてこれらのコストを労働で得られた時給と比較し、本来の目的の数字を導き出した――〝ミニマリスト的なライフスタイルを維持するのに、どれだけの時間を費やす必要があるか〟。ソローは実験期間中の全データを集計し、週に一日だけ働けばその賃金で充分に生活をまかなえるとの結論に達した。

金銭的価値を時間的価値に変換するという手品を使ったことこそ、哲学者フレデリック・グロが〝ソローの新経済論〟と呼ぶもの、[6] ソローが『ウォールデン』の初めのほうで定義した「ものの値段《コスト》とは、短期的、長期的に見て、それを手に入れるのに費やさなくてはならない、私が生活と呼ぶものの量である」[7] という原理を土台に構築されたソローの理論の、革新的なポイントなのだ。

この新経済論は、ソローの時代に出現した大量消費文化を根本から考え直すよう促す。標準的な経済理論は金銭的な成果に注目する。一エーカーの農地で作物を育てて得られる利益が年間一ドルで、六〇エーカーなら六〇ドルの利益になると仮定すると、可能であれば六〇エーカーで作物を育てるべきだ。それなら手もとに入る金額が確実に増える。

ソローの新経済論は、そのような計算を嘆かわしいほど誤っていると考える。上積みされた五九ドルの金銭的利益を得るために生じる生活コストが計算に入っていないからだ。『ウォールデン』で指摘されているとおり、コンコードの多くの住民のように広い畑を持てば、心労の種《たね》になりかねない多額の借金、多数の農具の維持管理、終わりのない厳しい労働が必要になる。ソローは、近所の農民について「重荷に押しつぶされかけている」[8]とし、彼らを指して「多くの人は静かな絶望のなか日々を過ごしている」[9]という有名な一文を書いた。

ソローは次に、消耗しきった農民たちは苦労して手に入れた余分の利益から果たしてどんなメリットを得たかと問うた。ウォールデン湖畔での実験を通じてソローが証明したように、余分な労働をしたところで、農民たちが過酷な状況から解放されることはなかった。一方のソローは、週一日に相当する時間を労働に費やしただけで、生きていくのに最低限必要なものを無理なく手に入れた。生活の多くを犠牲にした結果、農民が実際に手に入れたものは、ほんの少しよい程度のものだった――ベネチアンブラインドに銅の給水設備、あとはたとえば、町との往復の時間を短縮するりっぱな荷馬車。

ソローの新経済論に沿って分析すれば、これは賢明な取引とは言いがたい。一生続くストレスや骨の折れる労働と、いまあるものより質のいいブラインドとを交換する？ これは誰にも正当化できないだろう。窓辺の見栄えがよくなるからといって、それは本当に人生の大半と交換する価値があるだろうか。同様に、荷馬車は、いまより長い時間、農作業に汗を流すだけの価値があるものだろうか。町まで徒歩で行けば、たしかに荷馬車で行くより時間がかかるだろうが、その分の時間は、荷馬車を買うためによけいに働かなくてはならない時間よりもおそらく短いだろうとソローは指摘する。同じような計算の結果、ソローは皮肉めいた調子で次のように書いた。「農場や家屋、納屋、家畜、農機具を相続してしまった不運な若者たち、町の人々がいる。不運というのは、そういったものは相続するのは簡単でも、処分するのは難しいからだ[10]」

重荷につぶされないための「コスト計算」

ソローの新経済論は工業化時代に発展したものだが、その根幹をなす洞察は、現在のデジタル時代にも応用できる。この章のはじめのほうで紹介したデジタル・ミニマリズムの第一原則は、〝あればあるほどコストがかかる〟だ。ソローの新経済論はそのわけを理解する一助となる。

デジタル・ライフにおける特定のツールや行為を考えるとき、その一つひとつが個別に生むメリットに注目しがちだ。たとえば、ツイッターを積極的に活用すれば、人脈が広がったり、斬新な発想に触れたりする機会があるかもしれない。通常の経済学的発想からいえばそれらは利益であり、受け取る利益が多ければ多いほどよい。したがって、そういった利益の供給源を可能なかぎり集めてデジタル・ライフに詰めこむことは理にかなっている。コンコードの農民にとって、借りられるだけ金を借りて農地を買い、そこで作物を栽培するのが理にかなっていたのと同じだ。

しかしソローの新経済論は、その利益と、〝生活〟で測ったコストとを比較するよう求める。ソローなら、たまの出会いや新しい発想を目当てにせっせとツイートするとして、それにあなたの時間と注意のどれほどを注ぎこむことになるだろうかと問うだろう。たとえば、あなたは週に一〇時間をツイッターに費やしているとしよう。ソローならば、それで得られるわずかな利益の代償として、それはほぼ確実に大きすぎるというだろう。そして、人脈を広げることや興味深いアイデアに触れることに価値を見いだしているのなら、おもしろそうな講演会やイベントを毎月一つ選んで参加し、そのとき最低でも三人の参加者と話をする義務を自分に課してはどうかと提案するかもしれない。このやり方なら、似たような利益を手にしながら、ひと月ごとにあなたの生活のほんの数時間を費やすだけですみ、浮いた三七時間をほかの大事な目標に振り向けられる。

むろん、そういったコストは何層にも積み重なりがちだ。ツイッターを頻繁に更新しつつ、手間暇のかかるネットサービスをほかにも一ダース使っているとしたら、生活に占めるコストは膨大なものになるだろう。時間と注意を奪い取られ、ソローの農民と同じように「重荷に押しつぶされかけ」る。そうやって生活の大半を犠牲にして手に入るのは、せいぜい以前よりちょっと上等な品物――農民のベネチアンブラインドや高級なポンプのデジタル版――でしかなく、しかもその大半は、前述のツイッターの例で示したように、ずっと低いコストで手に入れられるであろうもの、あるいはそもそもなくてもさほど困らないものだ。

散らかったデジタル・ライフが有害な理由はこれだ。私たちは最新のアプリやサービスが約束する小さな利益の誘惑につい屈してしまいがちであり、しかもその結果、私たちのもっとも価値ある資産――時間――に換算したコストに鈍感にもなりがちだ。だからこそ、ソローの新経済論はいまの時代でも重要な意味を持つ。フレデリック・グロは次のように述べている。

ソローについて注目すべき点は、議論の内容そのものではない。物質的な富に対する軽蔑を表明する賢人は太古の昔からいた……ソローに何より感服させられるのは議論の形である。ソローの計算にかける情熱は徹底している……ソローはこう言う――計算を怠るな、比較考察を怠るな。私にどれだけの利益があるか。どれだけの損失をこうむることになるか。[11]

計算にこだわるソローの態度は、あれもこれも詰めこみすぎたデジタル・ライフには代償がありそうだとぼんやり認識しているだけの段階を抜け出し、その代償を数値化して直視する段階へと進む一助になる。ソローは、自分の生活時間を計量可能な価値ある資産――私たちが持つうちでもっとも価値の高い資産といってもいい――として扱い、自分が時間を割くさまざまな活動に生活のどれほどを費やしているかをつねに意識しなさいと教えている。この観点から自分の習慣を見直せば、ソローが彼の時代に到達したのと同じ結論にたどりつくはずだ――私たちの生活に散らかっている、不可欠とは言いがたいことがらにかかっているコストの総計と、その一つひとつから受け取っている小さな利益の総計とを比較すると、たいがいの場合、コストのほうがはるかに大きいと。

原則2が正しい理由：収穫逓減《ていげん》

収穫逓減の法則は、経済学を学ぶ人にはお馴染みのものだろう。生産プロセスの改善に適用される原則で、大雑把にいえば、あるプロセスに投入するリソースを増やしても、生産量は無限に増えるわけではないことを示す。それはいつか限界に達して、投資の増加分に対する利益は減っていくのだ。

経済学の教科書に載っている典型的な例では、架空の自動車組み立てラインで働く労働者を考える。初めは労働者の数を増やせば、その組み立てラインで完成する台数は労働者が増加した割合に応じて増えていく。しかし、さらに労働者を増やしていくと、生産台数の増加分は減り始める。その原因はさまざまに考えられるだろう。たとえば、新しい労働者の作業スペースが足りなくなるとか、コンベアベルトの最大速度といった別の制限要素が働くといったようなことだ。

この法則をあるプロセスとリソースに当てはめ、生み出される利益をy軸で、投入したリソースをx軸で表わすと、見覚えのある曲線を描く。最初はリソースが増えれば産出量も急増し、直線に近い右肩上がりの曲線が描かれる。ところが時間がたつにつれ、産出量の伸びは頭打ちになり、曲線は水平線に近づく。生産曲線を形作る具体的な条件は、それぞれのプロセスやリソースによって異なるが、おおよその形状は数多くのシナリオで共通する。そのため収穫逓減の法則は、現代の経済学説の基本要素となっている。

デジタル・ミニマリズムを論じる章でこの経済学の法則を持ち出した理由は、次のようなものだ。〝生産プロセス〟の定義の解釈にいくらか幅を持たせれば、収穫逓減の法則は、私たちが生活のなかで価値を生み出すために新しいテクノロジーを利用するさまざまな場面にも当てはまる。収穫逓減の法則の観点から一人ひとりのテクノロジー・プロセスを注意深く見ると、デジタル・ミニマリズムの第二原則――自分が利用するテクノロジーの最適化を図ることは、どのテクノロジーを利用するかを最初に決めるのと同じくらい重要である――の正当性を理解するのに必要な語彙《ごい》をひととおり知ることができる。

■ ■ ■

個人のテクノロジー・プロセスを考えるにあたっては、そのプロセスから得られる利益を増やすために費やすエネルギー、たとえば利用するツール類を厳選したり、選んだツールをより賢く活用する戦略を取り入れたりするためのエネルギーに注目しよう。そのような最適化により多くのエネルギーを費やせば、プロセスから得られる利益も増える。初めのうち、その増加分は大きいはずだ。しかし、収穫逓減の法則が示しているように、限界に近づくにつれて増加率は低くなる。

より具体的に見るために、簡単な例を検討してみよう。たとえば、あなたは世の中の流れをつねに把握しておくことが大切だと思っていると仮定する。この目標達成のために新しいテクノロジーを利用するのは、言うまでもなく有効だ。その導入当初の戦略は、おそらく、ソーシャルメディアのフィードに表示されるリンクを見逃さないようにするというだけのものだろう。このプロセスはそれなりの利益をもたらす。この目的のためにインターネットをまったく活用しない場合に比べ、最新の情報が確実に手もとに入ってくるのだから。とはいえ、改善の余地はまだまだありそうだ。

それを前提に、フォローに値するニュースサイトをいくつか慎重に選んだうえで、それらサイトの記事を〝あとで読む〟ために保存し、うっとうしい広告を削除して読みやすくレイアウトしてくれる、インスタペーパーのようなアプリを探すことにエネルギーを費やしたらどうなるだろうか。最新情報を把握しておくためのテクノロジー・プロセスは改善され、あなたの生活にさらに大きなメリットをもたらしてくれるだろう。この最適化の最後のステップとして、試行錯誤を重ねた結果、平日は難解な記事をクリップするだけにしておき、土曜の朝、近所のカフェでコーヒーを飲みながらタブレット端末で一週間分の記事に目を通すと頭に入りやすいと気づくようなこともあるかもしれない。

この時点で最適化の努力は実を結び、最新情報を逃さないためのこのテクノロジー・プロセスからあなたが受け取る利益は大幅に増えているはずだ。平日には時間も注意も最低限しか費やさずにすみ、しかも最新情報に遅れることはない。だが、収穫逓減の法則が示すとおり、あなたはおそらく限界に近づいている。限界を超えると、テクノロジー・プロセスを改善するのはだんだん困難になっていく。専門的な表現をするなら、あなたは生産曲線の後半部分に到達したのだ。

デジタル・ミニマリズムの第二原則がきわめて重要であるとする理由は、大部分の人はこういった種類の最適化にほとんどエネルギーを投資していないからだ。経済学の用語でいうなら、大部分の人のテクノロジー・プロセスは現状、生産曲線の初期の段階にある。つまり、最適化を図った分だけ大きな利益が返ってくるということだ。だからこそデジタル・ミニマリストは、第二原則に従い、どのテクノロジーを利用するかだけでなく、どのように利用するかを考える。

ここで挙げた例は架空のものだが、実在のデジタル・ミニマリストの体験からも、最適化が大きな利益に結びついた事例をいくつも見つけられる。たとえばガブリエラは、ケーブルテレビよりも優れた（かつ、より安上がりな）娯楽を求めて映像配信サービスのネットフリックスに加入した。ところが、ドラマシリーズなどを一挙に視聴しがちになり、それが仕事に悪影響を及ぼしてもどかしい思いをすることが増えた。さまざまな戦略を試したあと、ガブリエラはこのプロセスを最適化するためのルールを見つけた——一人でネットフリックスを視聴しないこと。*このルールに従うかぎり、ネットフリックスの楽しみは奪われず、それでも一定の制限を設けることによって視聴しすぎを防げ、しかもガブリエラが大切に思っていること——友人とのつきあい——にも貢献する。「（ネット配信の番組の視聴は）ひとりぼっちの行為ではなく、社交の手段になったんです」ガブリエラはそんな風に話す。

私が話を聞いたデジタル・ミニマリストに共通していた最適化の別の一例は、ソーシャルメディアのアプリを携帯電話から削除するというものだった。パソコンのブラウザからもアクセスは可能だから、ソーシャルメディアが提供する価値ある利益のいずれもあきらめることなく利用を続けられる。しかし携帯電話からアプリを削除したおかげで、退屈を感じたとたん反射的にアカウントをチェックすることはできなくなった。その結果、週単位で見ればそういったサービスに接続して過ごす時間は激減する一方、受け取る利益はほとんど減らなかった。つまり、朝から晩まで気が向くたびに意味もなくタップしたりスワイプしたりしていたときよりも、テクノロジー・プロセスは大幅に改善したのだ。

＊この最適化を行なったのはガブリエラだけではない。驚いたことに、ストリーミング放送を見るときは大勢でというルールに最適なバランスを見つけたデジタル・ミニマリスト（たいがいは若年層）は、ほかに何人もいた。

どうして最適化できないのか？

ガブリエラや、ソーシャルメディア利用を簡素化したほかのミニマリストたちが示したような最適化を図ろうとしない人が世間にこれほど多い背景には、大きな理由が二つある。一つは、そういったテクノロジーのほとんどは、比較的新しい存在だからだ。そのため、日々の生活のなかでいまもまだ目新しく楽しい存在であり、具体的にどれだけのメリットがあるのかという、より重大な疑問に気づきにくい。もちろん、スマートフォンやソーシャルメディアが登場した当初の目新しさは薄れ始めていて、初期状態のまま進化していない自分のテクノロジー・プロセスの欠点にいらだちを感じる人はこれから増えていくだろう。作家のマックス・ブルックスは二〇一七年、テレビ番組に出演してこう語っている。「八〇年代にフリー・ラブが問い直されたように、オンラインの情報（との現状の関わり方）を問い直す必要がある」[12]

テクノロジー利用法を最適化しようと考えない人が多いもう一つの理由は、いくぶん皮肉めいている――こういった新しいテクノロジーの多くをサービスに盛りこんだ注意経済《アテンション・エコノミー》の大企業は、ユーザーに最適化を図ってもらいたくないと考えているからだ。どの企業も、ユーザーが自社製品に時間を使えば使うほど儲かる。したがって、自社のサービスを一種の生態系《エコシステム》、そこでぶらぶらしていれば何かおもしろいことが起きる遊び場ととらえてほしいのだ。そのような漠然とした姿勢で使ってもらえば、ユーザーの心理的な弱点につけこみやすくなる。

対照的に、そういったサービスを、具体的なメリットを得るために慎重に取捨選択できる機能の集合体として見れば、利用時間はまず間違いなく激減する。だから、ソーシャルメディア企業は自社製品をわざととらえどころのない表現で説明する。一例を挙げれば、フェイスブックが掲げる理念は「コミュニティづくりを応援し、人と人がより身近になる世界を実現する」[13]。前向きな印象を与える目標ではあるが、フェイスブックをどのように活用すれば目標を達成できるのかは具体的に示されていない。フェイスブックというエコシステムに接続し、シェアしたりつながったりしていけば、それだけでいつか何かいいことが起きるだろうとほのめかしているだけだ。

だが、この思考を振り捨て、新しいテクノロジーを取捨選択して活用できるツールとして見るようになれば、デジタル・ミニマリズムの第二原則に則り、アグレッシブに最適化を開始することができる――生産曲線の右肩上がりの部分を最大限に活用できるのだ。役に立つ新しいテクノロジーを選ぶことは、生活の質を改善する初めの一歩にすぎない。真のメリットが手に入るのは、最適な利用法を探してあれこれ試し始めてからなのだ。

原則3が正しい理由：アーミッシュのハッカーに学ぶ

アーミッシュの存在は、テクノロジーが現代文化に及ぼす影響を深く検討しようという議論をややこしくする。一般には、アーミッシュは過去のある時代に凍りついたままの人々――彼らがアメリカに移住を開始した一八世紀中ごろよりもあとに登場した道具を拒む一派と理解されている。この観点に立てば、彼らの共同体は古い時代を再現する生きた博物館、珍しい骨董品のようなものでしかない。

しかし、アーミッシュを学術的に研究している学者や作家から話を聞くと、それとは矛盾するような証言が飛び出してきて混乱させられる。たとえばアーミッシュ社会の研究書を著したジョン・ホステトラーは、次のように述べている。「アーミッシュの共同体は過去の遺物などではない。近代化を違った形で体現する共同体である」[14] ペンシルベニア州ランカスター郡にあるアーミッシュの共同体に長期間滞在した経験を持つテクノロジストのケヴィン・ケリーは、ホステトラーの主張をさらに進めてこう書いた。「アーミッシュの暮らしは反テクノロジーとはかけ離れている。何度か彼らの共同体に滞在させてもらったが、その印象をいえば、彼らは天才的なハッカーかつ技術者であり、何でも自分で作り、修理する人々だった。意外なことに、テクノロジーを積極的に受け入れることも少なくなかった」[15]

ケリーが二〇一〇年の著書『テクニウム──テクノロジーはどこへ向かうのか？』（みすず書房）で詳述しているように、アーミッシュはラッダイトであるというわかりやすい思いこみは、アーミッシュの平均的な農場を実際に目にした瞬間に吹き飛ぶ。「車をゆっくりと走らせていると、麦わら帽子をかぶってサスペンダーをつけたアーミッシュの少年がローラーブレードで追い越していく」[16]のだ。トラクターを使うアーミッシュの共同体もあるが、自動車のように道路を走ることができないよう、車輪の材質は鉄に限られる。ガスで動く脱穀機が許されていても、「もくもくと煙を吐き出すやかましい機械」[17]を移動するときは馬に牽《ひ》かせる。個人用の電話（携帯も固定も）を持つことはたいがい禁止されているが、多くの共同体では共用の公衆電話を設置している。

自動車の所有が許されている共同体はほとんどないが、アーミッシュではない人が運転する車には日常的に乗っている。ケリーによれば、地域の配電網に接続することはだいたいどこでも禁止されているものの、電力はふつうに使われている。使い捨てのおむつも普及しているし、化学肥料も同様だ。ケリーの著作中に印象的な一節[18]がある。一式四〇万ドルもするコンピューター制御の高性能フライス盤を使って空圧装置の部品を製造し、共同体に供給している家庭を訪問すると、その大きな機械を操作しているのは昔風のボンネットをかぶった一〇歳の娘だったという。フライス盤は厩舎の裏に設置されていた。

アーミッシュの現代テクノロジーとの複雑な関係に注目した人物は、むろん、ケリー一人ではない。エリザベスタウン・カレッジの教授でアーミッシュを取り上げた本の共著者でもあるドナルド・クレイビルは、アーミッシュの共同体で農業を継ぐ代わりに起業する人々が増えたことで起きた変化を重視している。一九名の従業員を抱えるアーミッシュの木工所では電動ドリルやのこぎり、ネイルガンを使用しているが、商用の配電網から電力供給を受けるのではなく、ソーラーパネルやディーゼル発電機を使っている。別のアーミッシュの起業家は、自分の会社のウェブサイトを持ってはいるが、運営は外部の会社に任せている。クレイビルはそういった起業家の、一般とは違った、場合によっては強引なテクノロジー活用法をこう呼んでいる――「アーミッシュ式ハッキング」[19]。

これらの考察は、アーミッシュは新しいテクノロジーの一切を拒絶するという一般的な見方を否定する。では、実際のところはどうなのだろうか。アーミッシュの人々は、衝動的で複雑な大量消費主義がはびこる現代社会において、驚くほど過激でありながら単純なことを実践している――自分たちにとって大事なことがらから逆算し、検討対象の新しいテクノロジーがその大事なことがらに対して益よりも害を及ぼすかどうかを考えるのだ。クレイビルの説明を借りれば、彼らは次のような問いを自分に向ける。「これは役に立つだろうか、それとも有害だろうか。共同体としての私たちの生活一般を向上させるだろうか、それとも逆に破壊するだろうか」[20]

新しいテクノロジーが登場すると、アーミッシュの共同体の（ケリーの呼び方にならえば）「アルファ・ギーク」（テクノロジー関連の知識や技量がもっとも優れている人）がそれを実験的に使ってみる許可を教区の司祭に求める。ほとんどの場合、司祭はゴーサインを出す。そして共同体の全員が新しもの好きを「熱心に」見守り、共同体がもっとも大切にしていることがらにそのテクノロジーが最終的にどのような影響を及ぼすかを見きわめる。益よりも害が大きいと判断されれば、そのテクノロジーは禁じられる。そうでなければ許可されるが、有益な面を最大限に活用し、有害な面は最小限に抑えるようにとの注意書きが付されるのが常だ。

たとえば、アーミッシュの大多数の人々が自動車の所有を禁じられているのに、アーミッシュ以外の人が運転する自動車に同乗することを許されているのは、自動車の所有が共同体の社会構造に与える影響に理由がある。ケリーはこんな風に説明している。「二〇世紀初頭に自動車が登場したとき、自動車を運転する者は日曜に家族と過ごしたり病人を見舞ったりする代わりに、あるいは土曜に地元の商店で買い物をしたりする代わりに、共同体を出てピクニックに行ったり、よその町の観光に出かけたりすることが多いことにアーミッシュの人々は気づいた」[21]アーミッシュの共同体のある住民は、リサーチ中のクレイビルにこう説明した。「アーミッシュの共同体を離れた人が最初にするのは、自動車を買うことです」[22]というわけで、ほとんどの共同体で自動車の所有は禁止されている。

このような考え方を知れば、アーミッシュの農家がソーラーパネルを所有したり、発電機につないだ電動工具を使ったりするのはかまわないが、商用の配電網に接続してはいけないわけが理解できる。問題は電力ではない。配電網は、共同体の外の世界との結びつきが強すぎ、アーミッシュがよりどころとする「世にありつつ、世のものではない」という聖書の教えに反するからだ。

テクノロジーに対する彼らの独特の感覚に触れると、アーミッシュのライフスタイルを珍しがってばかりはいられなくなる。ジョン・ホステトラーが言うように、アーミッシュの哲学は現代化を拒絶することではない。〝ふつうと異なる形で〟現代化することだ。ケヴィン・ケリーはこれをもう一歩進め、私たちがいまもがいている状況をふまえれば決して無視できない種類の現代化であると書く。「習慣性のあるテクノロジーを避けるメリットを論じるとき、あっぱれな手本としてアーミッシュに目を向けないわけにはいかない」[23]アーミッシュがなぜあっぱれな手本とされるのか、その理由をぜひとも理解しなくてはならない。このあと詳しく述べるように、その理由こそがデジタル・ミニマリズムの第三原則――決断を下すときは、それがもたらす結果よりも、確たる信念を持って決断したかどうかに重点を置くべきである――を強固に支える論拠となるからだ。

■　■　■

テクノロジーをめぐるアーミッシュの哲学の核には、次のようなトレードオフがある――アーミッシュは、テクノロジーから得られるであろう利益よりも、意識的にテクノロジーを選ぶことを優先する。意図は利便性に勝るという信念に賭けるのだ。そしてその賭けはうまくいっているようだ。アメリカは二〇〇年以上にわたって急速な現代化とめまぐるしい文化的変動を経験してきたが、そのなかにあってアーミッシュは比較的安定した存在であり続けている。脅したり、外界との接触を禁じたりすることによって信徒を封じこめようとする一部の宗派とは違い、アーミッシュはいまでもラムスプリンガ（成人するまで掟から解放されて自由に過ごす期間）を維持している。一六歳でラムスプリンガに入った若者は、家を出て共同体の制限から解放され、外の世界を経験できる。アーミッシュの教会で洗礼を受けるかどうかを決めるのは、このラムスプリンガに自分が何をあきらめようとしているかを目の当たりにしてからだ。ある社会学者が算出した数値によると、ラムスプリンガのあとも共同体に残る若者の割合は、八〇パーセントから九〇パーセントという。[24]
しかし、充実した生き方のケーススタディとしてアーミッシュの例を過度にもてはやさないよう注意しなくてはならない。それぞれの共同体の指針となっているオルドヌングと呼ばれる戒律を定めて施行するのは、司祭、牧師二名、執事という終身制の役職に就く四人の男性だ。[25] 年に二度、聖餐式が行なわれ、その際にオルドヌングに関する不満があれば申し立てることができ、投票にかけられるが、こういった共同体の大多数は——とくに女性は——基本的に投票権を与えられていないことが多い。

これをふまえて見ると、アーミッシュの人々は、意識的に行動することのみに価値を置いてテクノロジーに関する判断を行なうという原則を重んじているとはいえ、そのような共同体の権威主義的な側面を排除してもなおその価値観は変わらないのかという疑問は残る。幸いなことに、変わらないと考える根拠がある。

この問題を考察するには、アーミッシュと関わりの深いメノー派教会をめぐる思考実験が役に立つ。アーミッシュと同様、メノー派の共同体も「世にありつつ、世のものではない」という聖書の教えに従っており、やはりアーミッシュと同様に質素な暮らしを貫いていて、共同体の結束と高潔な生き方を維持するという基本的価値観を脅かすような文化の動向を疑問視する。しかしアーミッシュとは違い、メノー派教会には周辺社会との結びつきが強い自由主義的なメンバーも多く存在する。彼らは教会の方針に沿いつつも、個人の責任でさまざまな判断を下す。つまり、権威主義的なオルドヌングがない環境に、テクノロジーに対するアーミッシュ的な価値観が持ちこまれているようなものだ。

この哲学を実践している人の体験に触れてみたいと思い、私はローラという自由主義的メノー派信徒に電話取材した。ローラは学校教師で、夫と娘とともにニューメキシコ州アルバカーキに住んでいる。地元のメノー派教会に通っており、近所に少なくとも一〇以上のメノー派の家族が暮らしているため、メノー派の共同体の価値観との結びつきは強い。しかし、ライフスタイルについての判断はすべてローラ自身が下す。だからといって、どのテクノロジーを利用するかを意識的に選択するという原則と切り離されているわけではない。その原則が貫かれていることは、彼女の何より思い切った決断を見ればわかる。彼女はこれまで一度もスマートフォンを所有したことがなく、今後購入するつもりもない。「自分がスマートフォンを賢く使いこなせるとは思いません」[26]ローラは私にそう話してくれた。「持っていたらそのことばかり考えてしまいそうです。一歩家を出たら、そういった気の散るもののことは考えません。それにとらわれずにすんでいます」世の中の大多数の人は、初めて行く街のレストランの評価を調べる、GPSの道案内を使うといった、携帯電話が（少しだけ）便利にしてくれるものごとを数え上げて、携帯電話を家に置きっぱなしにすることなどとてもできないと言うだろう。だが、そのような些細なメリットに与《あずか》れないことをローラは気にしていない。「家を出る前に道順をメモしておくくらいのことは面倒でも何でもありませんから」それよりもローラが気にかけるのは、自分の意識的な選択が自分にとってきわめて価値の高いことがらを後押ししてくれているかどうかだ。たとえば、大切な人たちと心を通わせること、目の前のことを存分に楽しむこと。電話で話を聞いたとき、ローラは、たとえ退屈に思う瞬間があろうと娘ときちんと向き合うことの大切さ、気を散らすものがない状態で友人と共有する時間の貴重さを強調していた。また、〝よく吟味してから買う賢い消費者〟であろうとする姿勢と、メノー派教会でやはり重視される社会正義についての問題意識をリンクさせて考えていた。

現代の利器を使わずとも充実した暮らしを送っているアーミッシュと同様、ローラがスマートフォンのない生活に満足している最大の要因は、その選択そのものにある。「(スマートフォンを持たないという判断の)おかげで、自分のことは自分で決めていると自信を持って毎日を過ごせます」ローラはそう話した。「自分の生活のなかでテクノロジーにどこまでの役割を持たせるか、私がコントロールしているわけですから」ここで少しためらったあと、ローラは続けた。「ときどき、ちょっと優越感を覚えることもありますけど」ローラは自分を戒めるように〝優越感〟と表現したが、その感覚——意識的に行動することから来る充足感こそ、幸福な人生を支える土台と呼べるのではないだろうか。

■■■

ここまでに提示した断片を合体させると、デジタル・ミニマリズムの第三原則の強力な裏づけができあがる。デジタル・ミニマリズムの有効性を支えているのは、利用するツール類を意識的に選択する行為そのものが幸福感につながるという事実だ。そしてその幸福感はたいがい、排除したツール類から得られていたであろうメリットよりも大きい。

この原則の説明を最後に回したのは、これがおそらくもっとも重要なものといえるからだ。荷馬車で楽しげに道を行く厳格なオールド・オーダー・アーミッシュの農民に見たように、あるいは古いタイプの携帯電話に満足している都会っ子のメノー派信徒に見たように、彼らの充足感の最大の源は、ミニマリズムを体現していることそのものにある。便利な道具の効き目は血糖値を一気に上昇させる食べ物のごとく短く、チャンスを見逃す不安の痛みはあっても長くは続かない。しかし、自分の時間と注意を奪おうとするものに対して主導権を握ることからもたらされる価値ある輝きは、いつまでも色褪せないのだ。

古いアドバイスを現代の感覚で見直す

ミニマリズムの核をなす概念——〝少ないほど豊かになれる〟——は、決して新しいものではない。この本の「はじめに」で触れたように、この概念の起源は古代にまで遡《さかのぼ》り、歴史を通じて支持されてきた。そう考えると、この古い概念は、私たちが暮らす現代のあまりにも多くの側面を定義している新しいテクノロジーに応用できそうであることも、驚くに値しない。

とはいえ、この二〇年は、テクノロジーに関することとなると〝多ければ多いほどいい〟——よりいっそうつながることやより多くの情報、よりたくさんの選択肢があるほうがいい——と主張するマキシマリズムが復活した時代でもあったといえそうだ。この哲学は、個人にいっそう多くの自由を与えようとするリベラル・ヒューマニズムの動きに完全に一致していて、誰もが使っているソーシャルメディアの利用をあえて避けたり、ネット上で盛んに議論されている話題を追いかけるのを拒んだりするのは、どことなく反リベラルな態度のように思えてしまう。

しかし、そういったつながりは、いうまでもなく、見かけ倒しのものだ。自分の主体性をアテンション・エコノミー・コングロマリットに譲り渡す行為は——シリコンヴァレーの投資家から最新のサービスを差し出されるたびに反射的に新規登録するのは――自由とはかけ離れたものであり、やがては個人としての人格を脅かされることになるだろう。いま、マキシマリズム的な主張がいよいよ勢いを増していくなか、それに全力で抵抗するための盾として、この章で詳しく論じたようなミニマリズムを提案すべきではないかと私は考えている。どれほど古くから支持されてきた概念であっても、その重要性を明確にするためにはその時代に合った検証が必要だ。

新しいテクノロジーについていうなら、少ないほど豊かになれることはほぼ確実だ。ここまでの議論で、その正当性に納得してもらえたことを願っている。

3 デジタル片づけ

（短期決戦で）ミニマリストになる

ここまで読んでデジタル・ミニマリズムには試す価値がありそうだと納得してもらえたと想定し、次のステップとして、このライフスタイルに移行するための最善のプランを示そう。私の経験からいうと、習慣をちまちまと変えていく方法は成功率が低い。注意経済《アテンション・エコノミー》が提供する製品は人の注意を引きつけることに特化しており、またその便利さも摩擦抵抗となって、それから逃れようとするあなたの力を弱めるからだ。気づくとあなたは、スタート地点に逆戻りしているだろう。

だから、一気に移行してしまうことを勧めたい。充分な決意をもって、短期間のうちにやり遂げてしまう方法だ。このほうが成果は長続きする。これから提案する短期決戦のプロセスを、私は〝デジタル片づけ〟と呼んでいる。その手順を次に挙げよう。

デジタル片づけのプロセス

1 三〇日のリセット期間を定め、かならずしも必要ではないテクノロジーの利用を休止する。

2 この三〇日間に、楽しくてやりがいのある活動や行動を新しく探したり再発見したりする。

3 休止期間が終わったら、まっさらな状態の生活に、休止していたテクノロジーを再導入する。その一つひとつについて、自分の生活にどのようなメリットがあるか、そのメリットを最大化するにはどのように利用すべきかを検討する。

このライフスタイル実験は、家の大掃除のようなもの。長年ためこんできた注意をそらすツールや習慣性のある行為をまとめて処分し、その代わりに、より意識的な行為をミニマリストらしく最適化した状態で呼び戻し、それまで生活から締め出されがちだった大事なことを中心に据え直す。

前述のとおり、この本の後半では、デジタル・ミニマリスト的ライフスタイルを長期にわたって維持していくのに役立つ考え方や戦略を紹介する。だが、まずはリセット期間を設けてライフスタイルを片づけるところから始め、移行の手応えを感じてきたところでこの本の後半の章を開き、自分に合った行動プランを立案してほしい。人生の多くの場面でそうであるように、とにもかくにも始めることがもっとも大事なステップだ。それを念頭に置いて、ここからはデジタル片づけを実行する具体的な手順を一つずつ見ていこう。次に説明するように、移行プロセスを成功させる最善の方法を検討するにあたっては、幸運なことに、完全なゼロからスタートする必要はない。すでに大勢が道を切り拓いてくれている。

■ ■ ■

二〇一七年一二月初旬、私は自分のメーリングリストの購読者に向け、デジタル片づけの基本的なアイデアを要約したメールを送った。「来年一月にデジタル片づけを試し、進捗を報告してくれるボランティアを募集しています」手を挙げてくれる勇敢な読者は四〇人から五〇人くらいだろうと思った。ところがその予想は大きくはずれた——一六〇〇人を超える読者が参加してくれたのだ。私たちの集団実験は、全国紙でも取り上げられた。[1]

翌年の二月、参加者からより詳しいレポートが集まり始めた。デジタル片づけにあたり、テクノロジー利用に関してどんなルールを適用したか、三〇日のリセット期間中にどのような経験をしたか。私が知りたかったのはそれだ。加えて、リセット後にテクノロジーを再導入する際、どのような判断を行なったかについても大いに関心があった。

多数の詳細なレポートに目を通して、二つの結論が明らかになった。第一に、デジタル片づけはたしかに有効だった。条件反射の行動や常習癖によって自分のデジタル・ライフがどれほど散らかっていたかを痛感して、みな一様に驚いていた。不要品を一掃し、白紙の状態から細心の注意を払ってデジタル・ライフを作り直すという単純なプロセスを経て、いつしか心にのしかかっていた重しが取り除かれたかのようだった。デジタル片づけを通じてすっきり整理整頓されたデジタル・ライフは、不思議と〝しっくりくる〟気がしたとみな口をそろえた。

もう一つの結論は、デジタル片づけにはちょっとしたコツが要るということだった。少なからぬ参加者が三〇日のリセット期間が終わる前に実験から離脱した。ここで興味深いのは、離脱した理由は意志の弱さではなかったという点だ。彼らはみな、生活を向上させたいという強い思いから自分で決めて実験に参加した。離脱の理由でもっとも多かったのは、実行のしかたをほんの少し誤ったことだった。たとえば、テクノロジー利用を制限するルールが漠然としすぎていたり、逆に厳格すぎたりした。ほかには、リセット期間中、テクノロジーを排除して空いた時間に何をするかをあらかじめ考えておかなかったために不安や退屈につながってしまった失敗も多かった。また、いわゆる〝デトックス〟のためにこの実験に参加した人々――短期間だけデジタル・ライフと距離を置き、それが終わったら通常営業に戻るつもりでいた参加者――の失敗率も高かった。一時的なデトックスを思い立つのと、生活を完全に一新しようと決意するのとでは、覚悟のほどがだいぶ違う。そのため、続けるのがつらくなったとき、誘惑に屈してしまいがちになる。

この二つ目の結論をふまえ、先に挙げたデジタル片づけの三段階のプロセスの詳しい説明と、私からの提案にこの章の残りのページを割こうと思う。三つのステップに分け、集団実験の参加者の具体例を引きながら、よくある落とし穴を避けて、デジタル片づけの成功率を上げるコツを提示しよう。

ステップ1：テクノロジー利用のルールを決める

三〇日のリセット期間中は、〝必須ではない〟テクノロジーの利用を休止する。したがって、リセットの最初のステップは、現在利用中のどのテクノロジーを〝必須ではない〟カテゴリーに分類すべきかを判断することだ。

この文脈で〝テクノロジー〟というとき、本書でここまで〝新しいテクノロジー〟と呼んできたものすべてが当てはまる。これにはアプリ、ウェブサイトをはじめ、コンピューターのスクリーンや携帯電話を介して娯楽や情報収集、連絡に使うデジタル・ツール類のいっさいが含まれる。デジタル片づけに向けた準備をするとき、たとえばテキストメッセージ、インスタグラム、レディットは検討の対象になるが、電子レンジ、ラジオ、電動歯ブラシはもちろん対象外だ。

集団実験の参加者の多くが分類に迷ったと話すのは、ゲームだった。デジタル・ネットワークやモバイル・コンピューティングに革命が起きたのは過去二〇年ほどで、ゲームはそれより何十年も前から存在していたから、単純に〝新しいテクノロジー〟に分類するのには違和感があるかもしれない。しかし多くの参加者――とりわけ若年層の男性――は、新しいテクノロジーで経験しているのと似た常習性のある誘惑をゲームに感じていた。二九歳の個人事業主、ジョセフは、「オフの時間にゲームができないと、ひどくいらいらする」[2]そうだ。そこでジョセフは、自分を消耗させているデジタル・ライフの要素として、絶えず閲覧してしまうブログのほかにゲームを加えた。ジョセフのように、ゲームが生活のかなりの時間を占めていると思うなら、リセット期間中のルールを決める際に検討対象とすべきテクノロジーのリストにゲームも迷わず加えてほしい。

分類に迷いそうなほかの例として、テレビがある。映像のストリーミング配信が普及したこの時代において、テレビと聞いて頭に浮かぶ視覚的エンターテインメントは、人によってまったく違ってきそうだ。集団実験の実施前、私は、ネットフリックスをはじめとするストリーミング配信サービスを〝かならずしも必要ではない〟テクノロジーの候補に入れるべきか決めかねていた。ところが実験後の参加者の意見は明快だった――「候補に入れるべきである」。経営コンサルタントのケイトはこう話す。「実行に移したいアイデアがたくさんあるのに、いざ腰を下ろして取りかかろうとすると、なぜかスクリーンにネットフリックスが現われるんです」ケイトのような参加者は、リセット方針を決める際、この種のテクノロジーも検討の対象とすべきだと断言した。

検討すべきテクノロジーをひととおり挙げたら、次はどれとどれが〝必須ではない〟か――リセット期間中の三〇日間、まったく利用しなくても困らないものはどれか――を判断しなくてはならない。実験の参加者の経験からざっくりした基準を導き出すとすれば、次のようになる――一時的ではあっても排除してしまうと、仕事やプライベートな日常生活にデメリットや重大な支障が生じると確実に予想できるテクノロジーだけは残し、ほかのものはすべて排除すべきである。

この基準に従えば、仕事で利用しているテクノロジーの大部分は〝必須ではない〟には当てはまらない。たとえば仕事関係のメールをチェックするのをやめたら、キャリアにマイナスの影響が及ぶ。つまり、あなたが受信ボックスをまるひと月放置した言い訳に、私を利用することはできない。同様に、生徒募集の一環でフェイスブック・メッセンジャーを定期的に確認しなくてはならないなら（私の実験に参加してくれた音楽教師のブライアンはこれに該当した）、むろん、これも〝必須ではない〟には当てはまらない。

私生活を見た場合、同様に検討の対象からはずしたほうがいいテクノロジーは、それが家族の送迎などに重要な役割を果たしているものだ。たとえば、サッカーの練習が終わって迎えに来てほしいとき、お嬢さんがテキストメッセージであなたに連絡することになっているとしよう。この目的にテキストメッセージを継続して使うのはかまわない。似た例では、いずれかのテクノロジーを排除すると人間関係に深刻なダメージが及びかねない場合だ。たとえば軍の一員として海外に駐在している配偶者と話をするのにフェイスタイム（アップル製品に搭載されているインターネット通話・ビデオ通話アプリ）を使っているような例が当てはまる。

ただし、くれぐれも〝便利〟と〝必須〟を混同しないこと。大学のイベントの告知を確認するのにフェイスブックのグループにアクセスできなくなるのは不便かもしれないが、三〇日のリセット期間中、その情報が受け取れないからといって交友関係に深刻な悪影響が及ぶとは考えられないし、それどころか、もっと興味深い時間の使い方があることに気づくきっかけになるかもしれない。同じように、集団実験の参加者のなかには、外国にいる友人と連絡を取り合う一番簡単な手段だから、ワッツアップやフェイスブック・メッセンジャーなどのインスタントメッセージ系ツールははずせないと主張する人もいた。たしかにそれが一番簡単ではあるかもしれないが、多くの場合、たったひと月だけ、ふだんより連絡が取りにくくなったからといって、友情が壊れたりはしない。

それに何より、不便さが逆に役立つこともありそうだ。外国にいる友人との連絡が減ると、そもそもどの友人との友情が本物なのか見分けやすくなり、デジタル片づけ後も残った友達との絆はいっそう強まるかもしれない。私の実験の参加者、ベラルーシ出身で、現在はアメリカの大学に留学中のアーニャは、この例を地で行った一人だ。私の実験を取り上げた《ニューヨーク・タイムズ》紙の記事のなかで、アーニャは、外国にいる友人とのオンラインでの交流を中断したことによって「誰かと一緒に過ごす時間を以前より大切にするようになりました……交流の機会が減った分、せっかくの時間をできるだけ充実させようと心がけたからです[3]」と話した。大学二年生のクッシュブーは、私に宛てたメールでさらにシンプルにこう表現した。「要するに、もともとしょっちゅう連絡を取るまでもなかった友達（もっといえば、疎遠にしたかった友達）との縁が切れただけでした」

ルールを具体化する

最後にもう一つ提案するなら、かならずしも必須ではないテクノロジーについて〝運用規定〟を設け、一握りのどうしても必要な場面のみ例外的に使用を許可しておくことだ。そのようにして問題のテクノロジーをいつ、どのように利用するかを具体的に定めておけば、必要な場合には使えるが、ふだんから無制限にアクセスしてしまうのを防げる。集団実験の参加者にも、こういった運用規定を設けた人は多かった。

たとえばフリーライターのメアリーは、しじゅうテキストメッセージをチェックするのをやめたいと思っていた（「大家族のうえに、全員が〝メッセージ好き〟なので」）。これには一つ問題があった。よく旅行に出かける夫から、すぐに対応しなくてはならない内容のメッセージが届くことがあるのだ。そこでメアリーは、携帯電話の設定を変え、夫からのメッセージの場合だけは特別な着信音を鳴らし、夫以外の人からの着信は通知しないようにした。似たような例をもう一つ挙げると、環境コンサルタントのマイクは、私的なメールが届いたらすぐに知りたいが、四六時中、携帯電話をチェックするのはやめたかった。そこで、デスクトップパソコンではメールアカウントにアクセスできるが、携帯電話ではできないように設定した。

コンピューター・サイエンティストのケイレブは、ポッドキャストは排除しないが、聴くのは毎日の二時間の通勤時間のみに制限した（「おもしろくもないラジオ番組しか聴けないなんて、考えただけでうんざりしますから」）。本人の申告によればライター兼教師兼フルタイムの母親であるブルックは、インターネットにアクセスすること自体を思い切って完全にやめることにしたが、二つの用途に限ってウェブブラウザを起動してもよいことにした。メールを送受信するときと、アマゾンで生活用品を注文するときだけだ。

ストリーミング配信の視聴時間を減らしたいが、完全にやめてしまいたくはないという参加者はかなりの数に上り、それぞれ実にクリエイティブな対策を講じていた。大学一年生のラメルは、ストリーミング配信の視聴を原則禁止としたが、ほかの人と一緒の場合のみ例外とした。その理由は「みんなが集まっているとき、何か動画が流れているというだけの理由でそこに加われないのはいやだったから」。大学教授のナサニエルは、上質な娯楽が生活に加わること自体は歓迎だが、延々と見続けてしまうことが気になっていた。そこでちょっとした制限を設けることにした。「いずれかのシリーズから、週に二エピソードまで」

私の印象では、参加者が定めたルールのざっと三〇パーセントほどが運用規定の類で、残りの七〇パーセントは特定のテクノロジーの使用を全面禁止するものだった。総じて、運用規定が多すぎるとデジタル片づけそのものが頓挫《とんざ》しがちになるようだが、それでも大部分の人には、ルールを微調整する規定が少なくとも数個は必要だった。

■　■　■

このステップの重要なポイントをまとめると、以下のようになる。

- デジタル片づけの主な対象は新しいテクノロジーである。コンピューターまたは携帯電話のスクリーンを介して利用するアプリ、ウェブサイト、ツールなどがこれに含まれる。ゲームや動画配信サービスもおそらくこのカテゴリーに加えるべきである。
- 〝必須ではない〟に分類したテクノロジーの利用を三〇日間、休止する。〝必須ではない〟テクノロジーとは、それがなくても仕事やプライベートな生活に悪影響が及んだり重大な問題が発生したりしないものを指す。必須ではないテクノロジーをすべて全面禁止してもいいし、別に運用規定を定め、いつ、どのような場合なら利用を許可するか、具体的に決めておくのでもいい。

・禁止するテクノロジーと関連する運用規定のリストが完成したら紙に書き出し、毎日かならず目にする場所に貼っておく。リセット期間中にやっていいこと、いけないことを明確に線引きしておくことが成功のカギとなる。

ステップ2：三〇日間、ルールに従って休止する

テクノロジー利用のルールが完成したら、三〇日間*、そのルールに従って過ごすというデジタル片づけの次のステップに進もう。必須ではないテクノロジーと切り離された生活は、初めはつらい。気晴らしや娯楽があるのが当たり前になっているのに、必須ではないテクノロジーを日常生活から取り除くと、その期待が満たされなくなってしまうからだ。人によってはこの状態を不快に感じるかもしれない。

しかし集団実験の参加者の多くは、そういった不快な感覚は一週間から二週間で消えたと報告した。ブルックはそのときのことを次のように書いた。

開始から数日は、意外なほどきつかったです。どれだけ依存していたか、いやというほどわかりました。順番待ちの列に並んでいるとき、用事と用事のあいだに時間が

空いたとき、退屈したとき、大切な人たちがいま何をしているかチェックしたくてたまらなくなったとき、何かからちょっと逃げたくなったとき、単に〝何か調べたくなったとき、気晴らしがほしいとき――つい携帯電話を手に取りました。そこでようやく思い出すんです。そうか、全部消しちゃったんだって。

しかし、状況はまもなく改善した。「時間がたつにつれて、いわゆる禁断症状的なものは少しずつ軽くなりました。そのうち、携帯電話のことは意識に上らなくなりました」若い経営コンサルタントのダリアもやはり、実験開始から数日のあいだ、無意識のうちに携帯電話を取り出しては、ソーシャルメディアやニュースのアプリをすべて削除してしまったことを思い出すという行動を繰り返していたという。携帯電話に残っていた、最新情報を確認できる唯一のものは天気予報アプリだった。「初めの一週間、三つから四つの都市の一時間ごとの天気予報をいつでも把握していましたよ」何かを閲覧したいという衝

＊いうまでもなく、リセット期間はきっかり三〇日でなくてもかまわない。たとえば、ある月の一日から末日までとするとわかりやすいだろう。つまり、月によっては三一日間になり、二八日間になる場合もあるということだ。

動は、無視できないほど強かった。それでも、二週間後の様子をダリアはこう報告している。「(ネットで何かをチェックしようと思うことは)ほとんどなくなりました」

このデトックス体験が実は重要だ。というのも、リセット期間明けに必須ではないテクノロジーの一部を再導入するとき、より賢明な判断をするための基準となるからだ。毒抜きをして視野をすっきりさせておかないと、習慣性のあるテクノロジーの引力があなたの判断を曇《くも》らせてしまう。私がデジタル・ライフの大改革に取りかかる前に長めの休止期間を取るよう勧める最大の理由はそれだ。いますぐインスタグラムとの関係を改善しようと思い立って実行に移した場合、試しに三〇日間インスタグラムなしで過ごしてみてから判断を下す場合に比べて、自分の生活のなかでどこまでの役割を持たせるべきかの判断が甘くなりがちになる。

ただし、この章の初めのほうで述べたように、デジタル片づけを単なるデトックスと考えてはいけない。デジタル片づけの目的は、テクノロジー利用を一時的に休むことではなく、あなたのデジタル・ライフを永続的に変えるきっかけを作ることだ。デトックス期間はその変化を助けるステップの一つにすぎない。

そう考えると、期間中は自分が決めたテクノロジー利用のルールを守るだけではすまない。デジタル片づけを成功させるには、常時オンの光り輝くデジタル世界の外に、これは大事だと思えること、楽しいと思えることを再発見しなくてはならない。さらにいえば、リセット期間が終わってテクノロジーの再導入を始める前に、それを見つけておくことがきわめて重要になる。本書のパート2で詳しく説明するように、生活のなかでデジタル・ツールが占める役割を減らしたいなら、デジタルの手軽な気晴らしに代わる価値の高い活動に親しんでおく必要がある。携帯電話のスクリーンにかじりついているのは、余暇が充実していないせいで生まれた空白を埋めるためであることが多い。手軽な気晴らしを減らしたが、その分の空白を埋めるものがないと、日々は退屈で不快なものになりかねない。それはミニマリズムへの移行失敗という結果につながるだろう。

三〇日のリセット期間中に自分が楽しめることを再発見しておくべき理由はもう一つある。リセットを完了してテクノロジーを再導入する際、その情報が判断の指針になるからだ。前述したように、テクノロジー再導入の目標は、人生における大事なことを後押ししてもらうこと。このような〝目的を達成するための手段を選ぶ〟アプローチをとるには、まずは人生で大事なものが何かを明確にしなくては始まらない。

「世界にはまだまだ見るべきものがたくさんある」

ここで明るいニュースを一つ。私の集団実験の参加者は、スクリーンのとりこになる以前に親しんでいた活動を意外なほどすぐにまた楽しめるようになった。大学院生のウネイザは、夜の時間をいつもレディットを眺めるのに費やしていた。リセット期間中は学校や近所の図書館から借りた本を読むことにした。「そのひと月で八冊を読み終え、九冊目に取りかかりました」ウネイザはそう報告した。「そんなにたくさん本を読むなんて、実験前は考えたことさえありませんでした」保険会社の外交員をしているメリッサは、三〇日間で読んだ本は〝たったの〟三冊だったが、ほかにワードローブの整理をしたり、友人と夕飯に出かけたりした。また、弟と顔を合わせて話す機会を以前より多く設けた。「弟も片づけ実験に参加していればよかったのにと思います。話しているあいだも弟は携帯電話ばかり見ていて、いらいらさせられましたから」多忙を理由にずっと先延ばししていた新居探しも始めたという。しかもリセット期間の完了前に購入の申し込みをし、あとは正式契約を待つばかりになった。

クッシュブーはリセット期間中に五冊読み終えた。これは彼にとって大きな成果だった。自分の意思で本を選んで読むのは三年ぶりだったからだ。また、絵を描いたりコンピュータープログラムを組んだりといった趣味も再開した。「絵もプログラミングも、前はあんなに好きだったのに、大学に入って以来、遠ざかってしまっていました。そんな時間はないと思いこんでいたんです」ケイレブは、主体的に取り組めそうなアナログな活動を探した結果、毎日就寝前に日記を書いたり読書をしたりするようになった。ほかにも、レコードプレーヤーでレコードを頭から終わりまで聴くようになった。イヤフォンは使わない。ちょっと退屈になってもその曲を飛ばすボタンもない。これまでは、音楽配信アプリのスポティファイを起動してそのときの気分にぴったりの曲を探していたが、レコード一枚をじっくり聴くほうがずっと豊かな経験であることに気づいたのだという。育児に専念中だというマリアナは、リセット期間中にクリエイティブな活動に夢中になって、ついには自分のブログを開設して自分の作品を公開したり、ほかのアーティストと連絡を取り合ったりするようになった。エンジニアのクレイグはこう報告している。「先週、子育てが一段落して以来初めて地元の図書館に行ってみました……読みたいと思える本が七冊も見つかってうれしくなりました」

私の実験の参加者の何人かと同様に、タラルドは空いた時間と注意を家庭に振り向けた。以前は息子たちと過ごすときも上の空でいる自分がいやでたまらなかったという。たとえば遊び場に一緒に出かけたとき、息子たちが何か新しいことができるようになって得意げにしていても、タラルドは気づいてやれなかった。携帯電話に気を取られていたからだ。「うんざりするほど何度も確かめたのに、またもやニュースをチェックしなくてはいられないせいで、息子たちの小さな進歩をどれだけ見逃してきただろうと考え始めました」――リセット期間中、息子たちと本当に一緒に過ごす幸せを改めて実感した。それ以前は、そばにはいても、目はスクリーンを凝視していた。公園で自分以外の親がそろって下ばかり見ている光景が、いまは異様に思えるという。

ブルックは、「以前より意識的に」子供たちと触れ合うようになった。彼女の場合、これは意図した変化ではなく、デジタル片づけから自然に生まれた副産物だった。片づけによって毎日の「慌ただしくて注意散漫な感じ」が大幅に軽減され、より大事なことに意識を向けるゆとりができたという。また以前のようにピアノを弾くようになり、裁縫も学び直している。目的もなくデジタル機器をいじるのをやめて〝本来の自分〟を最優先した結果、どれだけの時間を取り戻せるかがよくわかる例だろう。

一カ月のリセット期間中に多くの参加者がどのような経験をしたか、端的に表しているのがブルックの次の言葉だ。「三一日間、離れてみて、視界が晴れたように思います。それまでは曇っていることにさえ気づいていませんでした……いまこうして外からのぞきこむと、世界にはまだまだ見るべきものがたくさんあることがわかります」

■ ■ ■

このステップについて重要なポイントをまとめると――

・リセット開始から一、二週間は、おそらく困難を感じることになる。禁じられたテクノロジーをチェックしたい衝動と闘わなくてはならない。しかしその感覚はまもなく消え、代わりに訪れる〝毒が抜けた〟という感覚は、リセット完了時に明快な判断を下す役に立つだろう。

・デジタル片づけの目的は、うっとうしいテクノロジーから一時的に離れることにとどまらない。このひと月のリセット期間中に、必須ではないテクノロジーを利用しなくなって空いた時間を埋める、もっと価値の高い活動を積極的に探さなくてはならない。リセットの三〇日は、精力的に試行錯誤を繰り返す期間となる。

・リセット期間の完了までに、真の充実感を生むような活動を再発見し、よりよい生活――より意義深い目標の達成を後押しするためだけにテクノロジーを活用するような生活――を作り上げていく自信をその活動から得ていることが望ましい。

ステップ3：テクノロジーを再導入する

三〇日のリセット期間を終えたら、いよいよ最後のステップだ――必須ではないテクノロジーを生活に再導入する。このステップはおそらく、あなたが想像している以上の難関だ。

集団実験の参加者の一部は、このプロセスをいわゆるデジタル・デトックスとして扱った。実験期間終了と同時に、必須ではないテクノロジーをすべて再導入したのだ。これは誤りだ。この最後のステップの目的は、まっさらな状態からスタートして、ミニマリストらしい厳格な基準をパスしたテクノロジーだけを生活に受け入れ直すことなのだ。このプロセスがあなたの生活に変化をもたらすかどうか、しかもそれが持続するかどうかは、このステップを慎重に進められるかどうかにかかっている。

このことを肝に銘じて、あなたが再導入を検討する対象に挙げたテクノロジーの一つひとつについて、まずはこう自問しなくてはならない――このテクノロジーは、自分が重きを置いていることがらを直接に支援してくれるだろうか。必須ではないツールを生活に取り入れる条件は、これ一つだ。何らかのメリットがありそうだとしても、それでは足りない。デジタル・ミニマリストは、人生や生活でもっとも重要だと考えていることがらに貢献するようなテクノロジーしか採用せず、それ以外のものは喜んで手放すのだから。たとえば、この最初の問いを自分に向けた結果、気晴らしを探してツイッターを眺めても、自分の大事な目標を達成するためにはメリットがないと判断するかもしれない。その一方で、いとこの家に誕生したばかりの赤ちゃんの成長をインスタグラムで追うのは、家族とのつながりを重視する人にはメリットと思えるだろう。

あるテクノロジーがこの最初の選考基準を通過したら、次はさらに厳しい基準が適用される――その大事な目標を追求する方法として、そのテクノロジーは果たして最善か。私たちは、大事な目標となかば強引に結びつけて、時間や注意を奪うテクノロジーの多くを正当化しがちになる。対照的に、ミニマリストは、その結びつきの価値を測り、切っても切れない関係があるもの以外はあっさり切り捨てる。いとこの赤ちゃんの写真をインスタグラムで見るという例を考えてみよう。家族を大事にしたい気持ちとこの行動には、一応の正当性がありそうだ。しかし、次に問うべき質問は、インスタグラムで写真を見るのは、その大事な目標を追求する手段として最善か、というもの。少し考えてみれば、答えはおそらくノーだ。いとことの絆を保つためには、たとえば月に一度、いとこと電話で話すほうがはるかに効果的ではないだろうか。

あるテクノロジーがここまでの選考基準二つを通過したら、そのテクノロジーを再導入する前に自分に問うべき質問はあと一つだけだ――どのように利用すれば、そのテクノロジーのメリットを最大にし、デメリットを最小にできるか。本書のパート2で、アテンション・エコノミー企業があなたに求める思考様式について詳しく述べるが、その思考様式とは、そのツールを使うか、使わないかの二者択一だ。企業はまず、あなたが求める機能を入口にして自社のエコシステムに誘いこみ、正式な〝ユーザー〟になったところで、今度は関連するオプションを総動員して注意関心を巧みに引きつけにかかる。あなたは想定していた範囲を大幅に超えて、その企業のサービスを利用するようになる。

デジタル・ミニマリストは、生活のなかのいつ、どのような場面でデジタル・ツールを使うかを定めた標準運用規定を守ることで企業の戦略に対抗する。ミニマリストは、「友達との距離が縮まるからフェイスブックを使う」とは言わない。代わりにもっと具体的に言う。たとえば「親友や家族の様子を知るために、毎週土曜日、パソコンを使ってフェイスブックにアクセスする。携帯電話にはフェイスブック・アプリを入れない。友達リストには、意義ある関係を築いている人だけを残した」と言う。

ここまでに提示した条件を整理すると、ミニマリストのテクノロジー選考基準は次のようになる。

ミニマリストのテクノロジー選考基準

以下の条件を満たしたテクノロジーだけをリセット期間明けに再導入する。

1 大事なことがらを後押しする（何らかのメリットがある程度では不充分）。

2 大事なことがらを支援する最善の方法である（最善ではないなら、代わりに別の方法を考える）。

3 いつ、どのようにそのテクノロジーを利用するかを具体的に定めた標準運用規定に沿った形で生活に貢献できる。

さよならSNS

この基準は、新しいテクノロジーを見つけて導入を検討する際にも適用できる。しかしとりわけ大きな効果を発揮するのは、リセット期間明けに活用した場合だ。その前にテクノロジー利用を休止したおかげで自分が価値を置いているものごとが明快になり、現状のデジタル・ライフを堅持する必要はないという自信が生まれているからだ。集団実験の参加者の大多数の例を見ると、右記の選考基準に基づいて再導入のステップを終えたとき、あなたの生活のなかでテクノロジーが果たしている役割は、以前と大きく変わっているだろう。

たとえば電気技師のディーは、自分がどれだけ頻繁にネットで最新ニュースをチェックしていたか、リセット期間中に実感して驚いたという。しかもそういったニュースは彼をひどく不安にさせていた――とくに政治色の強い記事を読んだ直後は。「(リセット期間中は)ニュースを見るのをいっさいやめました。すごくいい気分でした」とディーは話す。「"無知は幸い"とよく言いますが、場合によっては本当にそうですね」リセット期間を終えたところで、ニュースをこのままずっと遮断するのは現実的ではないが、かといってメールで数十種類のニュースレターを受け取ったり強迫的に最新ニュースをチェックしたりするのは、世の中の動きに通じていたいという彼の希望を叶える最善の方法ではないと感じた。そこでデジタル片づけ後は、AllSides.com というウェブサイトを日に一度だけチェックすることにした。このサイトでは、重要なニュースを報じた記事を三本、公平に選んでリンクを張っている――それぞれ政治的左派、右派、中道の記事だ。この体裁であれば、最近の政治ニュースが発する感情的なオーラが薄まって、ディーは不安をかき立てられることなく世間の動向を知ることができる。

ケイトも同じ問題に悩んだが、ニュースサイトを読む代わりに、最新ニュースを要約して伝えるポッドキャストを毎朝聴くことにして解決した。この方式なら、最新のニュースを把握しつつ、だらだらとあちこちのサイトを閲覧するきっかけを作らずにすむ。マイクは対照的に、ネットでニュースを読む代わりに、昔ながらのテクノロジーを導入すると問題が解決することに気づいた。ラジオだ。何か手を動かす作業をしているあいだ、BGM代わりにナショナル・パブリック・ラジオ（NPR）を流しっぱなしにしておけば、ネットニュースの最悪の特徴の多くに接することなく世の中の動きを把握できる。ラメルもまた、昔ながらのテクノロジーを採用した一人だ。ソーシャルメディアのフィードでニュースを追う代わりに、ニューヨーク大学の寮の部屋に新聞を配達してもらっている。

予想どおりというべきか、集団実験の参加者の多くは、実験前に生活のなかのかなりの時間を占めていたソーシャルメディア・サービスの利用をやめた。ソーシャルメディアは、文化的な圧力や漠然とした価値提案に乗じて人々の生活に巧みに入りこむ。したがって、先に挙げた厳しい選考基準に照らし合わせると、不合格になることが多い。しかし、特定の目的にのみという制限付きでソーシャルメディアを再導入した参加者も大勢いた。その場合、ソーシャルメディアがのさばらないよう厳格な運用規定で縛る人が多かった。

マリアナがその一例で、デジタル片づけ後に残したソーシャルメディア・サービスをチェックするのは週末に一度だけという制限を設けた。セールスエンジニアのエンリケは、「自分に一番悪さをしていたのはツイッターなので」、やはりチェックするのは週末の一度に限定した。ラメルとタラルドは、残したソーシャルメディアについては、携帯電話からアプリを削除するだけで充分と判断した。デスクトップコンピューターを起動してブラウザからアクセスするという手間が増えただけで、サービスを使うのは自然と自分の大事な目標に関わる用事があるときだけになった。
また、参加者の一部は興味深い経験をした。リセット期間終了後、必須ではないテクノロジーを意気込んで再導入したはいいが、まったく関心を持てなくなっていたというのだ。たとえばケイトは、そのときのことをこう報告している。

リセット期間が終わった日、猛ダッシュでフェイスブックや自分のブログ、ディスコード（ゲーマー向けチャットアプリ）にアクセスしました。早く戻りたくて、テンションが上がりまくってました。なのに、三〇分くらいぼんやり見て回ったころ、こう、天井を見上げて思ったんです。私、何してるんだろうって。これってもしかして……退屈？　見ていても少しも楽しくなかったんです。デジタル片づけにチャレンジした

おかげでやっとわかりました。そういうテクノロジーは、実は私の生活にプラスなことなんて一つももたらしていなかったんです。

以来、ケイトはそれらのサービスを使っていない。
参加者のなかには、ソーシャルメディアが可能にする、〝ワンクリック〟に支えられた

人間関係を排除したいなら、まずは友人と交流する別の方法を見つける必要があることに気づいた人もいた。たとえばデジタル・アドバイザーのイローナは、友達に電話をしたりテキストメッセージを送ったりする時間を定期的にスケジュールに組みこむことにした。こうすると、かけがえのない友人との関係は維持できるが、その分、多くの友人が期待する軽めのつきあいは犠牲になる。「その日その日に誰がどんなことをしたか、知らずに過ぎてしまうこともあるけれど、ソーシャルメディアをやめたおかげで精神的なエネルギーを無駄遣いせずにすんでいることを考えれば、充分に元が取れていると思うようになりました」

ほかにも、再導入のプロセス中に一風変わった運用規定を編み出した参加者がいた。ロンドン在住で旅行業界で働いているというアビーは、スマートフォンからウェブブラウザを削除した。これはかなり思い切った対策だ。「何でもかんでもすぐに答えがわからなくてもかまわないと思ったんです」そして昔ながらの紙のノートを購入して、地下鉄で退屈したときなどにアイデアを書き留めるようにした。ケイレブは携帯電話に〝消灯時間〟を設定した。午後九時から午前七時のあいだは使わない。コンピューター・エンジニアのロンは、日常的にチェックするウェブサイトを二つに限定した。以前は四〇を超えるサイトを毎日巡回していたというから、大きな前進だ。レベッカは、腕時計を購入して日々の生活の質を向上させた。上の年代の人はそんなことでと疑問に思うかもしれないが、レベッカのような一九歳の若い女性にとっては大きな意識改革だった。「非生産的なウサギ穴に吸いこまれてしまうきっかけの七五パーセントは、時刻を確かめたくて携帯電話を取り出すことだと気づいたんです」

■ ■ ■

このステップの重要なポイントをまとめると、次のようになる。

・三〇日間、必須ではないテクノロジーを休止したことで、あなたのデジタル・ライフはリセットされた。この白紙の状態から始めて、意識的かつミニマリスト的なやり方でデジタル・ライフを再構築していく。そのために、候補のテクノロジー一つひとつを三段階の選考基準に照らし合わせる。
・この選考プロセスにより、新しいテクノロジーが大事な目標をくじくのではなく、後押しするようなデジタル・ライフが築かれる。意識的な決断を心がけて慎重に再導入を行なえば、あなたもデジタル・ミニマリストの仲間入りだ。

Part 2

演　習

4　一人で過ごす時間を持とう

国家を救った孤独

ワシントンDCのナショナル・モール（ワシントン記念塔やスミソニアン博物館などがある国立公園）から七番ストリートを北に向かって車で走り出すと、まずはコンドミニアムや石造りの威厳のある建築物のあいだを抜ける。三キロメートルほど走ると、景色は煉瓦《れんが》造りのテラスハウスや混み合ったレストランが建ち並んだ、都心から便利な距離にある住宅街のそれに変わる。ショー、コロンビアハイツ、そしてペットワース。このルートでペットワース方面からワシントンDCへ通勤している人々の多くは、そこからほんの二ブロックほど東側に、フェンスと守衛詰所と兵士に守られた静かな一画があることをおそらく知らない。

　そこは退役軍人ホーム、ワシントンDC都心部を見晴らせるこの丘に一八五一年から存在する施設だ。連邦政府が議会の要請を受けて銀行家のジョージ・リッグズから敷地を購入し、直近の戦争で身体が不自由になった退役軍人のために建設したホームである。一九世紀、ソルジャーズ・ホーム（当初はそう呼ばれていた）の周囲には田園風景が広がっていた。今日、市街地はホームの敷地をのみこんではるか先まで広がっているが、メインゲートを通り抜けたとたん、外界と隔絶されたような雰囲気はいまも保たれていることがわかる。私が本書のリサーチのため、秋にしては珍しく暖かだったある午後に訪れたときもそうだった。車で敷地に入るなり街の喧騒がすっと遠ざかった。緑色に輝く芝生、古木の林、小鳥の歌、近隣のチャーータースクールの校庭で遊んでいる児童の声。見学者用の駐車場に乗り入れたところで、目当ての建物が初めてちらりと見えた。三五部屋あるゴシック復古調の広々とした〝コテージ〟は、もとはジョージ・リッグズが建築したもので、最近、一八六〇年代当時の姿を再現して修復された。

　このコテージが現在、国定史跡とされているのは、著名な人物が滞在した場所だからだ。一八六二年、六三年、六四年の夏から初秋にかけて、エイブラハム・リンカーン大統領がここを住まいとし、馬に乗ってホワイトハウスまで通勤していたのだ。とはいえ、歴史上重要な大統領が滞在したことがあるというだけの場所ではない。近年続々と行なわれている多数のリサーチにより、リンカーンは、このコテージで静かに考えにふける空間と時間を確保できたからこそ、南北戦争が国に残した傷を理解し、突きつけられた難問に立ち向かうことができたのではないかといわれるようになっている。

静けさという単純なものが一国の歴史を変えたのかもしれない――もっと詳しく知りたくなった私は、その秋の午後、リンカーンのコテージを訪ねた。

■■■

リンカーン大統領がホワイトハウスから逃れようと考えたわけを理解するには、政治家としては下院議員を一期務めた経験しかなかったというのに、アメリカが史上最大の試練に直面した時代にそのリーダーに選ばれてしまった彼の生活ぶりを想像してみなくてはならない。「我々の内にある善なる天使」という有名な文言を含む演説を行ない、分裂しつつある国に忍耐を求めた大統領就任式の直後から、リンカーンは職務と気を散らす雑事のカオスに放りこまれた。「この大統領に蜜月期間は一日たりともなかった」[1]と歴史家のウィリアム・リー・ミラーは書いている。「(リンカーンは)大統領の執務を開始する前に新しい役割に馴染むための穏やかな日々を与えられず……成し遂げたいことに向けてじっくりと考えを深める機会はなかった」そしてミラーが興味深い表現で伝えているように「執務室に歩み入るや否や、決断を求めるものごとが彼に平手打ちを食らわせた」。これは大げさな表現ではない。後にリンカーン本人が友人のオーヴィル・ブラウニング上院議員にこう話している。「就任式後、この部屋に入ってまず渡されたのは、まもなく物資が尽きると訴えるアンダーソン少佐からの手紙だった」[2] アンダーソン少佐は、包囲されたチャールストンのサムター要塞――当時、ひたひたと忍び寄っていた戦争の影がもっとも色濃く落ちていた拠点――の司令官だった人物だ。サムター要塞から撤退するか防衛するかを分けるこの判断は、国家が崩壊に向かいかけていたこの時期、リンカーンが日々直面することになった似たような危機の雪崩《なだれ》の端緒にすぎなかった。

　国の重大な危機にあっても、大統領の予定表にあるわずかな空白さえもすべて埋め尽くす勢いで押し寄せる雑務からは解放されなかった。リンカーン研究者のハロルド・ホルザーは「文字どおり就任初日から、大勢の面会希望者が押しかけてホワイトハウスの階段や廊下を埋め尽くし、土手に面した窓から入りこんで、リンカーンの執務室の前に居座った」[3]と書いている。これらの人々は、仕事を、あるいは個人的な便宜を求めていた。そのなかには大統領の友人や夫人のメアリー・リンカーンの親戚も相当数いた。ホワイトハウス・ヒストリカル協会の文書保管庫には、リンカーン大統領の就任からひと月後に掲載された新聞記事の写真製版が保存されており、そこには就任直後の現実がそのまま写し取られている。[4]リンカーン大統領が閣僚と会議を開いている部屋のドアのすぐ前に、シルクハットを頭に載せた十数名の紳士が群がっている。キャプションによれば、彼らは働き口を求め、大統領が会議を終えて出てくるのを待ちかまえているそうだ。

リンカーン大統領は最終的には面会者の整理を試みるものの――「床屋で髭剃りの順番を待つように」列に並んでもらったとリンカーンは冗談を言っている――一般の面会者に対応する仕事がなくなるということはなく、それは、ホルザーの要約するところによれば「大統領の時間とエネルギーをほかのどんな仕事よりも消耗した」[5]。この気ぜわしさが背景にあったことを考えると、リンカーン大統領が一年の半分近くをホワイトハウスから離れて過ごそうと決め、毎晩、馬にまたがってホワイトハウスを出発し、ソルジャーズ・ホームの静かなコテージまでの長い道のりをたどったというのも納得がいく。ホワイトハウスでは決して手に入らなかったであろうものが、コテージにはあったのだ――考えるための時間と空間が。

大統領のコテージ

妻メアリーと息子タッドも、コテージで一緒に暮らした（長男のロバートは大学に入学して家を離れていた）が、二人は頻繁に旅行していたので、広いコテージにいるのは大統領一人きりという日も多かった。といっても、大統領がソルジャーズ・ホームで本当に一人きりになったことは一瞬たりともなかっただろう。コテージの使用人のほかにも、ペンシルベニア歩兵第一五〇連隊の中隊が二個、警護のために敷地内の芝生で野営していたからだ。それでもコテージで過ごす時間が特別だったのは、大統領の注意を求める人々がいなかったからだ――厳密にいえば決して一人きりではなかったとはいえ、リンカーン大統領は誰にも邪魔されずに自分の考えに没頭できた。

大統領がこの静かな時間を思索に充てていたといえるのは、大統領をコテージに訪ねた大勢の人々の証言に、自分が行くと大統領は一人で考えごとをしていたとの記述があるからだ。たとえば、ジョン・フレンチという財務省職員は、ある夏の夜、日没直後に友人のスコット大佐とともに予告なくコテージを訪ねたときのことを次のように手紙で回想している。

呼び鈴に応えて玄関を開けた使用人の案内でこぢんまりとした居間に入ると、薄明かりのなか、ミスター・リンカーンが一人きりで座っていた。上着と靴を脱ぎ、シュロを編んだ大きなうちわを片手に……大きな椅子にくつろいだ姿勢でもたれ、片方の脚を肘掛けに預け、深い物思いにふけっているようだった。[6]

田園地帯を抜けて首都とコテージとを行き来する時間も、思索にふける機会となっていた。リンカーンがこの一人になれる時間を大切にしていたことは、ときおりこっそりコテージを抜け出して馬に乗り、歩兵連隊の警護なしにホワイトハウスに向かったという逸話からも明らかだ。これは単なる気まぐれとして片づけられる行動ではない。これより以前に、南部連合がこの通勤ルート上で大統領暗殺を計画しているとの情報が軍によって暴かれていたし、現に馬上の大統領が銃撃される事件が少なくとも一件は起きていたのだから。

この思索の時間があったおかげで、在任期間中に発生した重大なできごとに関する大統領の判断がいっそう研ぎ澄まされたと考えていいだろう。たとえば、リンカーン大統領はゲティスバーグ国立戦没者墓地の奉献式に向かう汽車で、有名な〈ゲティスバーグの演説〉の草稿を走り書きしたという伝説がある。ただし、この逸話は大統領のいつものやり方とはかけ離れている――ふだん、大きな集まりで演説する際には、その何週間も前から草稿を練っていたからだ。私が見学に訪れた日に対応してくれた、リンカーンのコテージを管理している非営利団体の代表を務めるエリン・カールソン・マストは、ゲティスバーグの演説が行なわれる前の数週間についてこう話す。

（リンカーン大統領は）このコテージにいて、夜になると一人で軍人墓地を散歩したりしていました。大統領は日記をつけていなかったので、心の奥深くまでうかがい知ることはできませんが、あの忘れがたい演説を書く直前の日々、このコテージにいて、戦争における人命の犠牲の大きさに直面していたことは確かです。[7]

コテージは、奴隷解放宣言の草案に取り組む場ともなった。南部の奴隷を解放しなくてはならないという問題、そしてこの解放宣言がどのような形式を取るべきかという問題は、いずれもリンカーン政権を悩ませる複雑な問題だった――とりわけこの時期、政権は境界州が連邦から脱退してしまうことを恐れていた。リンカーンはオーヴィル・ブラウニング上院議員らをコテージに招き、関連する問題を話し合う機会を持った。また、敷地内を散歩中に何か思いつくと紙片に書きつけ、それをシルクハットの裏地にはさんでおいたという逸話は有名だ。[8]

リンカーン大統領は最終的に、奴隷解放宣言の最初の草稿をコテージで書いた。私はコテージを見学した日、大統領がその意義深い言葉を初めて書いたとされる机を見た。天井の高い寝室の、芝生の裏庭に面した背の高い窓二つのあいだにそれはあった。机に向かうと、芝生で野営している連邦軍のテントが見えただろう。そしてその何キロメートルか向こうには、国と同じように当時まだ建設中だった国会議事堂のドームも見えたはずだ。

私がリンカーンのコテージで見た机はレプリカだ。オリジナルは、ホワイトハウス内のリンカーン・ベッドルームに移されている。皮肉な話ではある。もしもざわめきと気を散らすものにあふれたホワイトハウスで取り組まざるをえなかったとしたら、おそらくその歴史的な任務はいっそう難渋していただろうから。

■■■

リンカーンが戦時の大統領という重大で難しい職務をりっぱに果たすことができたのは、一人きりで思索にふける時間を確保したからこそだ。つまり、国家を救うのに孤独が一役買ったといってもそう大げさではないだろう。

この章の狙いは、一人きりで過ごす時間がリンカーンにもたらしたメリットは、歴史的人物や、国家元首クラスの重大な決定を行なう人物に限られた話ではないと明らかにすることだ。定期的に一定の時間を一人きりで過ごす習慣は、どんな人にもメリットをもたらす。同様に重要なのは、長い期間、一人きりの時間を持たずにいると、就任から数カ月間のリンカーンのように、神経がすり減ってしまうということだ。あなたがどのようなデジタル・エコシステムを作ろうとしているとしても、この章を読み進めれば、リンカーン大統領の例にならい、意義ある人生を送るためにあなたの脳が必要としている静かな時間を定期的に確保することがいかに大切か、きっと納得してもらえるだろうと期待している。

孤独の価値

孤独というトピックについて具体的な議論に入る前に、この語の意味をより正確に理解する必要がある。そのガイド役として、一風変わった組み合わせの二人組を紹介しよう。レイモンド・ケスレッジとマイケル・アーウィンだ。

ケスレッジ*は連邦第六巡回区控訴裁判所の判事として尊敬を集める法律家で、アーウィンはイラクとアフガニスタンの両方で従軍した元陸軍将校だ。二人は二〇〇九年、アーウィンがミシガン州アナーバーに駐在しながら大学院に通っていたときに知り合った。ケスレッジとアーウィンは、年齢も経歴もかけ離れているものの、孤独というトピックに共通の関心を抱いていることがまもなく明らかになった。切れ味のよい判決文で知られるケスレッジは、書く際に一人きりで考える時間を長く取らなくてはならないという。たいがいは、最低限の改装しか施していない、しかもインターネット回線すら引いていない納屋に設置した簡素なマツ材のデスクに向かって書くそうだ。「納屋のオフィスにこもっていると、ＩＱがふだんより二〇ポイント高くなる」[9] ケスレッジはそう説明する。一方のアーウィンは、戦場から帰国した当初に抱えていた厄介な感情を整理するために、ミシガン州のトウモロコシ畑のあいだを長距離ランニングした。「ランニングはセラピーより安上がりだから」[10] とは本人のジョークだ。

知り合ってからさほど時を置かず、ケスレッジとアーウィンは孤独をテーマに共同で本を書くことにした。執筆には七年かかったが、二〇一七年、二人の努力は『*Lead Yourself First*（まずは自分のリーダーであれ）』として実を結んだ。この本は、いかにも連邦判事と元陸軍将校らしい隙のない論法により、一人きりで思索にふけることの大切さを経験を

＊レイモンド・ケスレッジという名に聞き覚えがある人も多いかもしれない。二〇一八年夏、米連邦最高裁判所のアンソニー・ケネディ判事の後任としてドナルド・トランプ大統領が最終候補に残した四人にケスレッジが含まれていると報道されていた。

もとに簡潔に述べている。しかし本題に入る前の部分に、おそらく二人の最大の功績といえる記述がある。〝孤独〟の厳密な定義だ。孤独というと、多くの人は誤解して、物理的に隔《へだ》てられた状態を連想するだろう。ことによると、半径何キロメートルにもわたって人っ子ひとりいない、人里離れた山小屋にはるばる行かなければならないとか、そんなことを想像する。このような誤った定義で考えると、日常のなかで定期的に実行するにはおよそ現実的でない基準ができあがってしまう。しかしケスレッジとアーウィンが説くように、孤独とは、周囲の環境を指すのではない。脳の内側で何が起きているかが問題なのだ。したがって二人の定義によれば、孤独とは、自分の思考が他者の思考のインプットから切り離された意識の状態を指す。

混み合ったカフェで孤独な時間を過ごすこともできるだろうし、地下鉄に乗っていてもそれは可能だ。あるいは、リンカーン大統領がコテージで見いだしたように、連邦軍の歩兵連隊が二個、すぐ目の前の芝生で待機していようと、自らの思考とのみ向き合っている状態であるかぎり、それは孤独と呼べるのだ。反面、他者の思考の侵入を許したが最後、どれだけ静かな場所にいようと、孤独はたちまち追い払われてしまう。他者との対面での会話に加え、本を読む、ポッドキャストを聴く、テレビを見るといったことも、そういったインプットに含まれる。あなたの注意がスマートフォンのスクリーンに引きつけられるような行為は、どのような形であれ、それに当てはまるということだ。孤独とは、他者から生まれた情報に反応せずにやり過ごし、自分の思考と体験にのみ集中することだ――そのときどのような場所にいるかにかかわらず。

孤独は貴重であるとする理由は何か。ケスレッジとアーウィンは数多くのメリットを挙げているが、その大部分は、何ものにも急き立てられずに内省することから生まれる洞察と感情のバランスに関係している。共著書で紹介された数多くのケーススタディのなかでとりわけ鮮烈な印象を残すのは、マーティン・ルーサー・キング・ジュニアの例だ。キング牧師がモンゴメリー・バス・ボイコット運動に関わったきっかけは、偶然だった[11]――全米黒人地位向上協会（NAACP）のモンゴメリー市の支部がバス車内における人種分離政策に抗議を表明する決定を行なったとき、たまたま市内の教会に牧師として着任したばかりの人物、そしてたまたま教養とカリスマ性を備えた人物だったというだけのことだった。一九五五年末、教会の集会で、設立されたばかりのモンゴメリー改善協会の会長に指名されたのは、キング牧師にとっては思ってもみないなりゆきだった。キング牧師は「私が役に立てるとみなさんが思うなら」と言って、しぶしぶながら引き受けた。

ボイコット運動が長引くにつれ、ますます高い統率力が要求され、また身の安全が脅かされるようになった。自ら望んでボイコット運動を率いたわけではないこともあって、キング牧師はそういった心理的な負担をとりわけ重く感じていた。警察の組織的ないやがらせの一つとして初めて逮捕されて釈放された翌日、一九五六年一月二七日、重圧はついにピークに達した。妻と幼い娘が床《とこ》に就いたあとに帰宅したキング牧師は、自分が何をしようとしているのか明確にしなければ、それ以上は前に進めそうにないと感じた。そこでコーヒーのカップを片手に一人キッチンテーブルにつき、神に祈り、自らの内面を探求した。そうやって、自分に求められている使命を理解するのに必要な孤独な時間を受け入れた。未来に待ち受けるものに立ち向かう勇気の源となる答えを得たのは、この夜だった。

その瞬間、心の内なる声が聞こえたような気がした。「マーティン・ルーサー、正義のために立ち上がりなさい。法の公平のために立ち上がりなさい。真実のために立ち上がりなさい」[12]

伝記作家デヴィッド・ガロウはのちにこのできごとを「(キングの)人生でもっとも重要な意味を持った夜」[13]と書いた。

■ ■ ■

アーウィンとケスレッジより前に一人の時間を持つ意義に気づいた評論家は、むろん大勢いる。その価値は、少なくとも啓蒙運動の初期にはすでに論じられていた。*[14]「人間が引き起こす問題はすべて、一人静かに部屋に座っていられないことに起因する」とは、一七世紀後半のブレーズ・パスカルの有名な一文だ。その半世紀後、大西洋をはさんだ大陸で、ベンジャミン・フランクリンは日誌にこう記している。「これまで孤独について書いた優れた文章に数多く接してきた……**[15]孤独とは、たしかに、慌ただしい生活を送る人々にとって好ましい気分転換となるだろう」

一人きりで考える時間を持つことの重要性に科学界がようやく注目したのは、それから

---

*孤独は、ギリシア・ローマ時代を通じ、宗教的な文脈においてさまざまに姿を変えて論じられており、神との結びつきを強め、善悪の直観的判断を研ぎ澄ますために重要な役割を果たしていた。ここで文明の歴史の比較的遅い時代を取り上げて言及したのは、主として正確を期すためである。

**フランクリンは孤独を賛美したこの記述を掘り下げ、「社会的な人間には」一人きりの時間が多すぎるのはよくないと警告している。フランクリンによる警句は次のとおり。「(一人で過ごす時間を重んじる) 思慮深い人々であろうと、つねに一人で過ごすしかないとしたら、自分自身に押しつぶされるまでにそう長くはかからないだろう」

ずいぶん時代が進んでからだった。一九八八年、イギリスの精神科医アンソニー・ストーは、独創性に富んだ著書『孤独』（創元社）でこの空白を埋めた。ストーによれば、精神分析学は一九八〇年代までに他者との親密な関係の重要性ばかりを強調するようになり、それこそが人の幸福の最大の源であるとした。しかし歴史を遡って検証したストーは、この仮説は誤りではないかと考えた。一九八八年の著書で、ストーは一八世紀イギリスの歴史家エドワード・ギボンの次のような記述を引用している。「会話は理解を豊かにするが、孤独は天才の学校である」[16]続けてこう断言する。「ギボンはまったくもって正しい」

エドワード・ギボンの暮らしは孤独だったが、後生に大きな影響を及ぼす著作を残しただけでなく、満ち足りた人生を送ったようだ。ストーは「詩人、小説家、作曲家の大半」[17]が共通して多くの時間を一人きりで過ごしたいとの欲求を持つという。デカルト、ニュートン、ロック、パスカル、スピノザ、カント、ライプニッツ、ショーペンハウアー、ニーチェ、キルケゴール、ヴィトゲンシュタインらの名を挙げ、彼らはみな家族を持たず、友人と親しくつきあうこともなかったが、それでも非凡な人生を送ったと指摘する。ストーの結論は、他者との親密な交流こそ人間の幸福の必須条件であるとするのは誤りであるというものだ。孤独は、幸福と生産性の両方にとって同じように重要な役割を果たす。

ただ、ストーの著書に挙げられた非凡な人生の主《ぬし》も、ここまでに取り上げた歴史的な人物も、全員が男性であるという事実は見過ごしがたい。ヴァージニア・ウルフは一九二九年のフェミニスト宣言『自分だけの部屋』（みすず書房ほか）で、こういったアンバランスは驚くようなことではないと書いている。ウルフなら、孤独は独創的で創造的な思考に欠かせないというストーの意見に賛成するだろうが、こうも付け加えるだろう。女性は、自分と対話するための、文字どおりの部屋《ルーム》、比喩的な空間《ルーム》のいずれを持つことも社会から否定されてきた、と。言い換えるなら、ウルフにとって孤独とは、心地よい気分転換ではなく、女性に孤独を許さない認知的抑圧からの解放だったのだ。

　ウルフが活躍した時代は、抑圧からの解放を女性に与えない父権社会だった。しかし今日、デジタル・スクリーンに気分転換を求める私たち自身が自分を抑圧する者となりつつある。カナダの社会批評家マイケル・ハリスは、やはり『*Solitude*（孤独）』というタイトルの二〇一七年の著作でこのテーマを取り上げた。ハリスは、新しいテクノロジーは、一人で自分と対話する時間をないがしろにする文化を生み出そうとしているのではないかと懸念し、「一人で考えにふける時間というリソースが猛攻にさらされているいまこそ、それが計り知れない意味を持つ」[18]と書く。関連文献を綿密に調査したハリスは、孤独から生まれる三つの利点を列挙した。「新たな発想、自己理解、他者との親密な関係[19]」

最初の二つはすでに本書でも論じた。三つ目はいくぶん意外だろうから、簡単な説明を加えたほうがいいだろう。とくに、このあと孤独と常時他人とつながっているメリットとの対立について検討する際、これが重要な意味を持ってくるので、ぜひ理解しておいたほうがいい。直観に反するように思えるかもしれないが、ハリスはこう書く。「一人で過ごす能力は……決して親密な絆を拒否することではない[20]」それどころか、絆を強める力を持つことさえある。他者と離れて落ち着いた時間を過ごすことにより、いざ他者と交流する機会が訪れたとき、そのありがたみを実感できるとハリスはいう。この相互関係を指摘したのはハリスが最初ではない。詩人でエッセイストのメイ・サートンは、一九七二年のある日の日記でその不思議さに思いを巡らせた。

数週間ぶりに一人きりの時間を過ごし、〝真に〟私らしい生活をようやく取り戻した。不思議なもので、友人、それをいったら情熱的な恋人でさえ、一人で考える時間を持ち、いま何が起きているのか、何が起きたのかをじっくりと探り、理解することなしには、私の真の生活の一部とは呼べない。心の栄養になるものであれ、心を波立たせるものであれ、邪魔してくるものがなければ、人生は退屈そのものになるだろう。それでも、人生を満喫できるのは、一人きりでいるときだけなのだ[21]……

作家のウェンデル・ベリーは、これについてより簡潔にこう記している。「我々は孤独に入り、そこで孤独感を捨てる」[22]

■■■

ここまで挙げてきた名言に似たものはそれこそ星の数ほどもあり、それらは明白な結論に私たちを導く——私たちの初期設定ともいうべき社交的な生活のなかに、定期的に一人の時間を取り入れることは、人として成長するために不可欠である。この事実を理解することは、いまの時代にこそぜひとも必要だ。なぜなら、次のセクションで論じるように、人類史上初めて、孤独は完全に失われようとしているからだ。

孤独が足りない

現代的な暮らしは孤独と相容れないという問題は新しいものではない。一九八〇年代の著作で、アンソニー・ストーは「現代の西洋文化は孤独の平穏さを手の届かないところに追いやった」[23]と嘆いた。どこにいても聞こえてくるＢＧＭ、当時発明されたばかりの「自動車電話」などを挙げ、私たちの生活のあらゆる側面がノイズによって侵害されている証拠だとした。その一〇〇年以上前、ソローは同じような懸念を示し、『ウォールデン』の有名な一節を書いた。「我々はメイン州からテキサス州に至る電信を大急ぎで敷設しようとしている。しかし、電信を使って伝えなければならない重要な用事など、メイン州にもテキサス州にもないのではなかろうか」[24]とすると、考えるべき問題は、いま私たちから孤独を奪おうとしている力はこれまでの時代にはなかった新しい種類のものなのか、私たちは数十年前から批評家たちが嘆き悲しんできた以上に差し迫った危機に直面しているのかという点だ。私なら、迷いなくイエスと答える。

私の不安を理解してもらうには、二一世紀の最初の数年に起きたｉＰｏｄ革命から話を始めるのがいいだろう。ｉＰｏｄ以前にも携帯型音楽プレーヤーは存在していた。その代表格はソニーのウォークマンやディスクマン（とそのライバルたち）だが、ｉＰｏｄ以前のデバイスは、大多数の人の生活において限られた役割しか果たしていなかった。エクササイズ中に、あるいは家族で出かけた長距離ドライブ旅行のバックシートに、娯楽を提供するだけのものだった。一九九〇年代前半のにぎやかな街角にタイムスリップしても、行き交う通勤者のなかに、黒いウレタンフォームのソニーのイヤフォンで音楽を聴いている人はあまりいないだろう。

ところが二〇〇〇年代の初め、同じ街角に立ったとしたら、ほぼすべての人の耳に白いイヤフォンがあるはずだ。iPodは、たくさんの個数を売り上げただけでなく、音楽を持ち運ぶ文化を変えた。とくに若い世代で顕著なことだが、誰もがiPodを使って朝から晩まで生活の背景を音楽で彩るようになった。玄関を出るなりイヤフォンを耳に押しこんだら、あとはどうしても他人と口をきかなくてはならない場面を除いて入れっぱなしだ。

この観点からいえば、ソローの電信からストーの自動車電話まで、過去に孤独を脅かしたテクノロジーはどれも、一人で考える時間にときおり割りこむ新奇な邪魔者でしかなかったが、iPodは史上初めて途切れることなく人の意識を内面からそらす能力を備えたテクノロジーだ。ソローの時代の農民は、夕方、暖炉の前の静けさから離れて町に行き、新しい電報が届いていないか確かめることで孤独な時間を細切れにしたかもしれないが、電信というテクノロジーには同じ農民がその日の用事をこなすあいだもずっと邪魔し続ける力はなかった。ところがiPodは、私たちと自分の思考を引き離す、これまでになかった力を備えていた。

iPodから始まったこの変化が本領を発揮したのは、後継者たるiPhoneが発売されてからだった。あるいは、もっと広い視野でいうなら、最新式のインターネット接続可能なスマートフォンが普及した二〇一〇年代に入ってからだ。iPodはどこででも見かけるものにはなっていたが、それでもイヤフォンを耳に押しこむ手間が惜しい場面(例:面談に呼ばれるまでのちょっとした空き時間)や、無作法に当たりそうな場面(例:教会の礼拝中にスローな賛美歌に退屈する時間)もまだ存在していた。しかしスマートフォンは、残っていた孤独の最後のひとかけらまで追放するテクノロジーを提供した――〝チラ見〟だ。少しでも退屈しかけたら、たくさんあるアプリや携帯電話対応ウェブサイトをこっそりのぞくことができる。それは他人の思考を即座に提供して退屈を紛らわすことに特化している。

いまや生活から孤独を完全に追放できるようになったのだ。ソローとストーは、人々が孤独を楽しむ時間が減っていると心配した。現代に生きる私たちは、人がこのまま孤独という状態を完全に忘れてしまうかもしれないことを心配しなくてはならない。

■　■　■

スマートフォン時代に入り、孤独が衰退しかけていることについての議論を複雑にしている事情の一つは、この現象の重大性をつい甘く見てしまいがちであることだ。多くの人は、自分が必要以上にスマートフォンを使っていることを認識してはいるものの、スマートフォンが持つ影響力の大きさをきちんと理解している人は少ない。本書の初めのほうで紹介したニューヨーク大学准教授のアダム・オルターは、著書『僕らはそれに抵抗できない』で、そういった過小評価の典型的な例を挙げている。彼は執筆のためのリサーチの一環として、自分のスマートフォン利用時間を計測してみようと考えた。[25] そのためにモーメントというアプリをダウンロードしてインストールした。このアプリは、一日に何度、どれだけの時間、スクリーンを見たかを計測する。オルターは、アプリで計測を始める前、おそらく一日に一〇回くらいスマートフォンをチェックし、見ている時間は一日の合計で一時間程度だろうと見積もっていた。

ひと月後、モーメントがオルターに真実を明かした——彼は平均して一日に四〇回スマートフォンを持ち上げ、一日およそ三時間スクリーンを見ていた。驚いたオルターは、アプリの開発者ケヴィン・ホーレシュに問い合わせた。ホーレシュがいうには、オルターは外れ値ではない。それどころか、笑ってしまうほどの典型例だった。モーメントの平均的ユーザーは、一日におよそ三時間ほどスクリーンを見ている。一時間以下のユーザーはたった一二パーセントにすぎない。そして平均的ユーザーは、一日に三九回、スマートフォンを持ち上げる。

ホーレシュはオルターにこう話した。ここに挙げた数字はおそらく低いほうに偏っている。なぜなら、モーメントのようなアプリをダウンロードしようと考える時点で、スマートフォンの使いすぎを気にしている人だからだ。「まったく気にしていないスマートフォン・ユーザー、気になってはいるが使用時間を追跡しようとまでは考えないユーザーは、何百万、何千万人もいる」[26]とオルターは結論する。「一日に三時間でも多いのに、彼らはそれ以上の時間をスマートフォンに費やしている可能性が高い」

右に挙げたスマートフォン使用時間は、スクリーンを見て過ごした時間しかカウントしていない。モーメントが計測していない、音楽やオーディオブック、ポッドキャストなどを聴いている時間まで勘定に入れたら、多くの人が日常生活から一人きりの時間を追放することにどれほど長けているか、いっそう明らかになるだろう。

ここからの議論をわかりやすくするために、この傾向に名前をつけることにしよう。

孤独の欠乏

他者の思考のインプットに気をとられ、自分の思考のみと向き合う時間が限りなくゼロに近づいた状態。

つい最近、一九九〇年代までは、孤独が欠けた生活のほうが難しかった。好むと好まざるとにかかわらず、日々の暮らしのなかで、自分の思考とだけ向き合わざるを得ない状況がいくらでもあった――列に並んで待つとき、混雑した地下鉄に乗っているとき、通りを歩くとき、庭の手入れをするとき。しかし、ここまで述べてきたように、今日、孤独の欠乏は世の中のすみずみまで行き渡っている。

ここで問うべきは、いうまでもなく、孤独の欠乏が蔓延しつつある状況をそもそも懸念すべきかどうかだ。漠然と論じたところで、答えはすぐには出ない。〝ひとりぼっち〟はできれば避けたい状況にも思えるし、この二〇年ほどで私たちは、つながればつながるほどいいと思いこまされてきた。二〇一二年の新規株式公開にあたり、フェイスブックのCEOマーク・ザッカーバーグは、誇らしげな調子でこう書いた。「フェイスブックはもともと……世界をより開かれた場所にし、人と人とをつなげるという社会的な使命を成し遂げるために作られたサービスです[27]」

こういったつなげることへの執念が楽天的すぎることは明らかで、またこの壮大な野望は軽く受け取られがちではあるが、本章の初めのほうで議論した観点を孤独の欠乏に当てはめて考えると、内省よりコミュニケーションを優先する姿勢は深刻な問題につながる。一つには、孤独を避ければ、孤独がもたらすプラスの効果を逃すことになる――困難な問題を明らかにする力、情緒を安定させる力、信念を貫く勇気、他者との関係を強める力だ。

つまり、孤独が欠乏した状態が慢性的に続くと、生活の質は低下する。

「i世代」の発する危険信号

また、孤独を排除すると、最近になってようやく理解が進み始めた、望ましくない影響をも招く。ある行為の効果を調べるよい方法の一つは、その行為を危険なほど極端に繰り返している集団を調べることだ。常時つながっている世界の影響を調査すると、一九九五年以降に生まれた若い世代にその極端な状態がすでに現われている。一〇歳になるころにはスマートフォンやタブレット、常時接続のインターネットが当たり前に存在していた最初の年代だ。親や教師のほとんどは、この世代は朝から晩まで休みなく何らかのデバイスをいじっているという（〝朝から晩まで休みなく〟は誇張ではない。二〇一五年の非営利団体コモン・センス・メディアの調査によると、十代の少年少女は、メディア――テキストメッセージやソーシャルメディアを含む――を平均で一日当たり九時間消費しているのだ[28]）。したがってこの世代は、たとえるなら危険をいち早く知らせる炭鉱のカナリアだ。孤独の欠乏状態が長びいた結果、認知に何らかの異変が生じるとすれば、その兆候は彼らに最初に現れるはずだ。

そして、そのとおりのことが起きている。

九五年以降生まれのデジタル・ネイティブ世代の異変を私が最初に察知したのは、この本の執筆にかかる数年前のことだった。ある有名大学に講演に招かれた際、その大学の精神保健センターの長と何気ない会話をした。センター長によると、学生のメンタルヘルスに大きな変化が起きているという。その少し前まで、キャンパス内の精神保健センターを訪れる学生の相談内容は、過去数十年と大差なかった。ホームシック、摂食障害、ときどき鬱《うつ》、そしてときおり強迫性障害。十代によくある問題ばかりだ。しかしあるとき、事情はがらりと変わった。一晩のうちに——と思えた——カウンセリングを希望する学生の数が急増し、十代にありがちな問題の割合は減り、それまでは比較的少数だった問題が増えた。不安障害だ。

センター長によると、ある日突然、誰もが不安やそれに関連する障害を抱えるようになったかに思えたそうだ。その変化の原因は何だと思いますかと尋ねると、彼女は一瞬の迷いもなく答えた——おそらくスマートフォンに関係している。不安障害が急増した時期と、スマートフォンとソーシャルメディアに育てられた世代の最初の学年が入学した時期とが一致しているのだ。センター長は、新入生が何かに駆り立てられるかのようにひっきりなしにメッセージを送受信していることに目をとめた。途切れることのないコミュニケーションが、学生の脳内化学物質に何らかの変化を起こさせているのは明らかと思われた。

数年後、このセンター長の直観は、サンディエゴ州立大学の心理学教授ジーン・トゥェンジによって裏づけられた。トゥェンジは、アメリカの若者の世代ごとの意識変化に関して世界クラスの専門家の一人だ。月刊誌《アトランティック》二〇一七年九月号に掲載された記事にあるように、トゥェンジは二五年以上にわたってこういった傾向について調査しており、どの世代を見てもかならずその傾向はあって、ゆるやかに増えてきているという。しかし二〇一二年ごろを境に、十代の心の状態を示す数値に、決してゆるやかとはいえない変化が現われた。

（出生年ごとの行動特性の変化を示した）線グラフは、以前はなだらかな上り坂を描いていたが、あるとき急峻な山と絶壁を描くように変わり、ミレニアル世代特有の特性が消え始めた。私が行なった世代データ分析のいずれでも――最古のデータは一九三〇年まで遡る――このような傾向は認められなかった。[29]

一九九五年から二〇一二年までに生まれた若者、トゥェンジが「i世代」と呼ぶ層には、一九八〇年代から二〇〇〇年ごろまでに生まれたミレニアル世代とは明らかに異なる特徴があった。最大の、そしてもっとも不吉な変化は、i世代の精神面の健康だ。「十代の鬱と自殺の率は急上昇している」[30]とトウェンジは書いている。その大半は不安障害が急激に増えたことに要因がありそうだ。「i世代は過去数十年で精神面の健康がもっとも悪化した世代になりそうだといっても誇張ではない」

この変化の要因は何か。トウェンジの意見は、私が会った前述の有名大学の精神保健センター長の意見と一致する。こういったメンタルヘルスの変化は、アメリカ人の多くがスマートフォンを所有するようになった時期と「ぴったり」符合するのだ。i世代を定義する特徴は、物心ついたときにはiPhoneとソーシャルメディアが当たり前のように存在し、インターネットに常時つながるようになる前の時代を知らないことだ。そしてその特徴の代償として、メンタルヘルスを脅かされている。「この悪化の最大の要因はおそらくスマートフォンである」[31]とトウェンジは結論づけている。

十代の若者に不安障害が伝染病のように流行している問題について調査を行ない、《ニューヨーク・タイムズ・マガジン》に記事を書いたジャーナリストのベノワ・デニゼー＝ルイスもまた、ほかにも説得力を持つ仮説はあるとはいえ、スマートフォンは見過ごせない要因の一つだとしている。「不安に悩む若者は、インスタグラム登場前にももちろん存在していた」[32]とデニゼー＝ルイスは書いている。「しかし、私が取材した親世代の多くは、子供世代が苦しんでいる理由の一つはデジタル習慣――朝から晩までテキストメッセージに返信し、ソーシャルメディアに投稿し、良いところだけを切り取った友達の投稿を追い続ける――にあると考えていた」

当の子供世代はこの仮説を親世代にありがちな小言と一蹴するだろうとデニゼー＝ルイスは考えていたが、そうではなかった。「驚いたことに、同じ考えのティーンエイジャーが多かった」[33]彼がある大学の不安障害治療センターでインタビューした大学生は、次のように簡潔にまとめた。「ソーシャルメディアは単なるツールです。でも、それなしでは生きていけないものになってしまって、それが僕らをおかしくしているんです」

デニゼー＝ルイスはジーン・トウェンジにも取材している。トウェンジは、スマートフォンを悪者にしようという意図が初めからあったわけではないと明言している。「十代のメンタルヘルスが悪化している理由として、あまりにも安直だという気がしました」[34]が、タイミングが一致する原因はそれしか見つからなかった。学業のプレッシャーの増大といったほかの原因候補は、不安障害が急増した二〇一一年以前から存在していた。不安障害の増加と時期を同じくして劇的に増加した要因は一つだけだった。若年層のスマートフォンの所有率だ。

「十代のメンタルヘルスを悪化させた犯人は、ソーシャルメディアやスマートフォンの使用と言ってよさそうです」[35]とトウェンジはデニゼー＝ルイスの取材に応じて語っている。

「逮捕状を請求するだけの容疑は固まっています——これからもっとデータが集まれば、裁判でも有罪を勝ち取れると思いますよ」この捜査の緊急性を知らしめるため、トウェンジは《アトランティック》誌の記事タイトルにあえて刺激的な表現を使った——〈スマートフォンは一つの世代を破壊したのか〉。

炭鉱のカナリアのたとえをふたたび持ち出すなら、i世代が抱える問題は、孤独の欠乏がどのような危険をもたらしかねないか、強い警告を発しているといえる。一人きりで考えごとをして過ごす時間がたまたま生活から排除された結果、その世代のメンタルヘルスは劇的に悪化した。考えてみれば当然の結果だろう。この世代の若者は、自分の感情を観察して理解する能力を失っている。自分は何者なのか、本当に大切なものは何かを知るために内面を探る能力、強靱な人間関係を築く能力も失った。さらにいうなら、生存に必要不可欠な脳内の社交の回路——そもそもこれは休みなく使い続けるように作られていない——をパワーダウンし、その分のエネルギーをほかの重要な認知の維持管理作業に振り向けることとさえ許されないのだ。適切な維持管理がされていないのだから、不調を来《きた》したとしても驚くには値しない。

i世代の若者とは違い、ほとんどの成人は朝から晩までネットに接続しているということはないとはいえ、多くの世代グループに蔓延した軽度の孤独の欠如を常時接続に似たものとして考えてみると、やはり気がかりな結果が見えてくる。読者とのやりとりでわかったのは、多くの人は、背景でかすかに聞こえているノイズのように日常生活に軽度の不安が入りこんできていることは認めているということだ。この原因を探そうとすると、近年の危機――二〇〇九年の経済危機であれ、論議を呼んだ二〇一六年の選挙であれ――を指さすか、社会人なら誰もが感じるストレスへの正常な反応として片づけるということになるかもしれない。しかし、他人と離れて考えにふける時間のメリットに、そしてそういった時間を完全に排除してしまった世代に現われ始めている懸念すべき影響に目を向けたとき、もっと簡単な説明が浮かび上がってくる――人として幸福に生きるためには孤独が必要なのに、近年、私たちはそのことに気づかないまま、人生に不可欠なその要素を着々と減らしてきた。

要するに、人はつねに接続し続けるようには作られていないのだ。

孤独と接続をどうやって行き来する?

人の幸福には孤独が必要であるという前提に納得してもらえたと仮定すると、次に浮上する疑問はこれだろう――常時接続の二一世紀、どうすれば充分な孤独を確保できるか。

この問いについて、ウォールデン湖畔のソローの小屋から思いがけないヒントが見つかる。

より自覚的に生きるためにマサチューセッツ州コンコード郊外の森で暮らしたソローは、孤独の古典的な例としてよく引き合いに出される。ソローは孤独という概念を広めるのに一役買った。森での体験をまとめた『ウォールデン』には、ソローの一人きりの生活ぶりや自然のゆったりしたリズムを綴った文章がこれでもかとあふれている（湖に張った氷が冬のあいだにどのように変わっていくか、ソローが長々と語る一節を読んだあとでは、水面の氷をそれまでと同じように見ることは二度とできない）。

しかし、『ウォールデン』刊行以来、批評家は、〝隔絶した辺境の地での生活〟神話を盛んに攻撃してきた。一つの例を挙げれば、歴史研究家のW・バークスデイル・メイナードは、二〇〇五年のエッセイのなかで、ウォールデン湖畔で暮らしていたあいだ、ソローは他者と隔絶されてなどいなかったと考えるべき理由を列挙している。ソローの小屋は、森の奥ではなく、実は交通量の多い幹線道路から見える森の手前の開けた草地にあった。また、そこは故郷のコンコードから徒歩で三〇分しか離れていない場所で、ソローは食事や友人づきあいのために頻繁にコンコードに帰っていた。友人や家族も日常的に彼の小屋を訪問している。ウォールデン湖は人のいないオアシスとはほど遠く、当時も現在も、ちょっとした散歩や水遊びができる観光地として人気だ。

しかしメイナードも指摘しているように、ソローはこの孤独と社交が複雑に交錯した状態を秘密にしようとしたわけではない。ある意味では、それこそが狙いだったのだ。「（ソローの）目的は未開の荒野で暮らすことではなかった[36]」とメイナードは書く。「都市近郊にある自然の荒々しさを見つけることだった」

この一文の意味を変えることなく〝自然の荒々しさ〟を〝孤独〟に置き換えることができそうだ。ソローは他者とのつながりを完全に絶とうとしたわけではなかった。一九世紀なかばのコンコード周辺の知的環境は意外なほどレベルが高く、ソローはその活気と完全に切り離されることは望んでいなかったのだ。ウォールデン湖の実験にソローが求めたものは、孤独な状態と接続された状態を行き来できる環境だった。彼は一人きりで自分の考えを深める時間――氷を凝視して過ごす時間――を大切にする一方で、友人づきあいや知的な刺激にも価値を見いだしていた。彼ならば、工業化時代初期の無節操な大量消費主義に断固抗議したのと同様、世捨て人のように隔絶された生活は頭から否定したことだろう。

この孤独と接続のサイクルは、孤独の欠乏から巧みに逃れた人々にしばしば共通する解決策だ。たとえばリンカーン大統領は夏の夜をコテージで過ごし、翌朝はまた騒がしいホワイトハウスに戻った。レイモンド・ケスレッジは、慌ただしい裁判所をしばし離れ、静かな納屋で考えを研ぎ澄ました。ピアニストのグレン・グールドは、あるジャーナリストにこう話してこのサイクルに数学的な公式を提案している。「これは昔からなんとなく思っていたことなのだが、他人と一時間過ごしたら、そのX倍の時間を一人きりで過ごす必要がある。Xに当てはまる数字がいくつなのかははっきり言えないが……かなりの比率になるだろう」[37]

常時接続を要求する文化にあって孤独の欠乏を避けるために、一人きりで考える時間と他者とつながる時間を日常のなかで行き来すること、それこそが私の提案の重要なポイントだ。ソローの例から明らかなように、他者とのつながりは決して悪いことではない。しかし、日常的にバランスよく孤独な時間も持つようにしなければ、つながりがもたらすメリットは目減りしてしまう。

現代の日常生活でこのサイクルを実現するために、いくつかの〝演習〟を示してこの章の締めくくりとしたい。いずれも、なりゆきに任せているとつながりばかりになってしまうルーティンに、いまより多くの孤独な時間を取り入れるための具体的で効果的なアプローチだ。これはエネルギーを消耗するようなものではなく、かならず実行しなければならないものでもない。いよいよノイズだらけになっていく世界に自分なりの〝湖畔の小屋〟をうまく建てた人々がどのような方法を採ったのか、参考になればと思う。

演習　スマートフォンを置いて外に出よう

テキサス州オースティンの映画館アラモ・ドラフトハウス・シネマは、上映開始後の携帯電話の使用を禁じている。画面の光がほかの観客の鑑賞に邪魔になるからで、アラモ・ドラフトハウスは映画体験を大切にしたい人々が集まる種類の映画館なのだ。もちろん、たいがいの映画館は上映が始まったら携帯電話をしまうよう客に求めるが、アラモ・ドラフトハウスは、携帯電話使用禁止ルールに関してきわめて厳格だ。公式ウェブサイトには次のような文言が掲げられている。

当館では、上映中のおしゃべりや携帯電話の使用について厳罰主義を採用しています。これは冗談ではありません。本当につまみ出しますよ。それ向きの人員も待機しています。[38]

このポリシーが注目に値するのは、映画業界ではきわめて珍しいからということもある。標準的なシネマ・コンプレックスは、人はもはや携帯電話を一度も使わずに映画を一本見通すことができないという現実を受け入れている。この退行を正式に認めた映画館さえあるのだ。「いまどきの二二歳に、携帯電話の電源を切れとは言えません」[39]二〇一六年、《バラエティ》誌のインタビューに応えて、映画館チェーンAMCシアターズのCEOはそう発言した。「その世代の生活はそういうものではありませんから」同CEOは続けて、現在ある（が、ほとんど守られていない）携帯電話使用禁止ルールの緩和を社として検討していると明かした。

携帯電話使用を禁じる戦いが映画館側の敗北に終わりつつあるのは、過去一〇年間に起きたより大きな変化のわかりやすい結果の一つだ。たまに役立つ場面もあるツールにすぎなかった携帯電話は、いまや片時も手放せない必需品に変わった。携帯電話が〝体の一部も同然のもの〟に昇格した背景には、いくつかの理由がある。たとえば若い世代なら、ごく短時間接続できなかっただけでも、もっと楽しいことができたチャンスを逃してしまったと不安がるかもしれない。親世代なら、緊急時に子供から自分に連絡がつかなかったらと心配するだろう。旅行中なら道案内やおすすめレストランを調べたいだろうし、働く人々は、必要とされることと連絡がつかないことの両方を恐れる。そして、誰もが退屈をひそかに恐れている。

驚くべきことに、私たちがこういった不安を抱くようになったのはごく最近だ。一九八〇年代なかばまでに生まれた世代は、携帯電話がなかった時代を鮮明に記憶している。右に挙げたような不安は、理屈の上で存在してはいたが、本気で心配する人はいなかった。たとえば、運転免許を取得できる年齢になるまでは、スポーツの練習のあと誰かに学校まで迎えに来てもらいたければ公衆電話を使って連絡していた。両親が家にいることもあれば、留守電にメッセージを残し、聞いてくれるよう祈るしかないこともあった。車で新しい町に出かければ、道に迷って誰かに道順を尋ねるのはいつものことだったし、大した問題ではなかった。車を運転するようになって私が最初にしたことは、地図の読み方を覚えることだった。食事や映画に出かけたとき、緊急時にベビーシッターから簡単には連絡がつかないかもしれないとわかっていても、誰もそこまで気にしなかった。

携帯電話以前の時代はよかったと、見当違いのノスタルジアをかき立てるつもりはない。いま挙げたような問題はどれも、より進んだコミュニケーション・ツールによって解決に近づいた。私がここで強調したいのは、事情が改善したといっても、ほとんどは無視できるようなものだということだ。別の言い方をするなら、日常生活の九〇パーセントの場面では、携帯電話があってもなくても関係ないか、あればほんの少し便利になる程度ではないだろうか。携帯電話は役に立つが、いつでもどこでも手もとになくてはならないと思いこむのは行きすぎだ。

この主張は、長期にわたって携帯電話のない生活をすることが一部の人々のあいだで意外なほど流行していることでも裏づけられる。その体験をエッセイなどの形で公開する人は多く、おかげで私たちも彼らの存在を知っている。そういった本や記事をいくつか読むと、共通するテーマが見えてくる。携帯電話のない生活には不便も少なくないが、一般に想像するほど神経がすり減るようなものでもない。

ホープ・キングという若い女性の例を挙げよう。キングは衣料品店でｉＰｈｏｎｅを盗まれたことをきっかけに、四カ月と少しの期間、携帯電話なしの生活を送った。[40] すぐに新しい携帯電話を購入してもよかったのにあえてそうしなかったのは、ｉＰｈｏｎｅ泥棒に対する抗議の表明になると考えたからだ。ピントはずれなことではあるかもしれないが、「言っておくけど、そんなことじゃ私は傷つかないからね」と宣言する代わりの行為だった。そのときの経験を綴った記事で、彼女は携帯電話なしの生活の「困ったこと」をいくつか挙げている。初めての場所に行くときはあらかじめ道順を地図で調べておかなくてはならないとか、家族と話をするのが面倒になったとか（後者についてはノートパソコンでスカイプを使うことで解決した）。実害のある「困ったこと」も経験した。上司との打ち合わせに向かうためにタクシーに乗ったところで渋滞に巻きこまれ、上司に一報を入れたくて、近くのスターバックスのＷｉ－Ｆｉの電波を拾ってくれないかとｉＰａｄをにらみ続けたといったことだ。しかし全体として恐れていたほど厳しいものではなかった。記事によれば、厳しいどころか、携帯電話のない生活で心配したことは「意外なほど簡単に解決」できることがわかり、（新しい仕事でどうしても必要になって）ついに新しい携帯電話を購入した直後は、また常時接続の生活が始まるのかと不安を感じたくらいだったという。

こういった事例から何を伝えたいかといえば、携帯電話をいつも持ち歩いていなければと切迫感を抱くのは大げさだろうということだ。携帯電話をはじめとするデバイスを永遠に手放したら、それはただ無用に不便だろうが、何日かに一度、数時間だけ離れて過ごす程度ならなんということはないはずだ。この点を力説するのにはわけがある。携帯電話が手もとにない時間を増やすこと――これからやってもらいたいことはまさにそれだからだ。

■ ■ ■

この章の初めのほうで、孤独の欠乏を助長する最大の要因はスマートフォンだと書いた。したがって、孤独の欠乏を避けるには、定期的にこれらのデバイスから離れて過ごす時間を設けるのが一番だということになるだろう。つまり、つい最近まで日常の当たり前の一部分だった孤独を経験する機会を意識的に作り出すということだ。私としては、ほぼ毎日、携帯電話と距離を置く時間を作ることを勧めたい。やり方はさまざまあるだろう。それぞれ安心して試せそうなレベルに応じ、朝、ちょっとそこまで出るあいだだけでもいいし、夜の外出のあいだずっとでもかまわない。

この戦略を成功させるためにはまず、携帯電話が手もとにない状態はピンチという思いこみを捨てなくてはならない。このセクションで説明してきたように、この思いこみはここ最近になって生まれたばかりのもの、しかも基本的には意図的に作られたものだ。それでも、その真実を完全に受け入れるには、ちょっとした練習が必要になる。初めは不安だろうから、前向きな妥協案として、目的地までは携帯電話を持っていき、車を駐めたらグローブボックスに置きっぱなしにしてみるというのはどうだろう。こうすれば、何か緊急事態が発生して誰かに連絡を取る必要が生じても、車にさえ戻れば携帯電話を使える。しかし、思いついた瞬間に手に取れるわけではないから、せっかくの孤独の時間をだいなしにしてしまう気遣いはない。自分では車を運転せず、誰かに乗せていってもらうときは、その人に携帯電話を預かってもらえばいい（相手を説得できればだが）。自分の車に置いておく場合と同じように、緊急時は携帯電話を使えるが、それには一手間かかる。

最後に一つ、念のため。この戦略の目的は携帯電話を手放すことではない。携帯電話は基本的に手もとにあってこそ、便利な機能をひととおり使うことができるわけだから。ここでの目的はそれではなく、日常生活のなかで、携帯電話を持っているときもあれば持っていないときもあるという状態は少しもおかしなことではないと理解してもらうことだ。実際、そういったライフスタイルは理にかなっているだけではない。孤独の欠乏からもたらされかねない最悪の影響から自分を守り、メリットを享受するために、いつもの行動を少しだけ変えてみよう――これはその意志を象徴するライフスタイルなのだ。

演習　長い散歩に出よう

一八八九年、名声が高まり始めたちょうどそのころ、フリードリヒ・ニーチェは自らの哲学を概観する本を出版した。彼は『偶像の黄昏』と題されたこの本をたった二週間で書き上げたという。巻頭に、ニーチェが関心を抱いていたトピックに関する短文が並んだ章がある。この章――具体的には箴言《しんげん》34[41]――に、次のような力強い主張が見つかる。「歩いて到達した思想にのみ価値がある」ニーチェが歩くことをいかに重んじていたかは、その直前に次のように記していることからもわかる。「座って過ごす人生は精霊に対する罪である」[42]

この箴言はニーチェ自身の経験から出たものだ。フランスの哲学者フレデリック・グロが、歩くことと哲学との接点について書いた二〇〇九年の著書で述べているように、ニーチェは、一八八九年までの一〇年間に、療養を経て健康を取り戻し、生涯でもっとも優れた著作の何冊かを物している。この一〇年は、頻発する偏頭痛などさまざまな病のために、大学の教授職を辞さざるをえなくなった年から始まった。一八七九年五月に辞職したあと、その年の夏をスイス東部エンガディーンの丘陵地帯にある小さな村で過ごす。この辞職から『偶像の黄昏』出版までの一〇年間、ニーチェは少額の補助金を安宿代と交通費に充て、(夏は暑さを逃れて)山間で、(冬は寒さを逃れて)海辺で過ごした。

ヨーロッパでもっとも眺めの美しい山道に囲まれていることにニーチェが気づいたのは、このときだった。そして「並ぶ者のない伝説的な散歩人となった」[43]。グロが書いているように、エンガディーンで過ごした最初の夏、ニーチェは一日最大八時間も歩くようになった。そうやって長時間歩きながら考え、最終的には小型の手帳六冊分の散文を書き、それがのちに『漂泊者とその影』としてまとめられ、歩きながら考えたこの一〇年間にニーチェが書いた数多くの重要な著作の最初の一冊となった。

むろん、歩く日課によって観想的な生活を支えた歴史的人物はニーチェ一人ではない。グロの著作ではもう一人、フランスの詩人アルチュール・ランボーの例が挙げられている[44]。

ランボーもまた、たびたび徒歩の長い旅に出ており、金に困ることはあっても情熱が不足することはなかった。また、ジャン＝ジャック・ルソーは次のように書いている。「ほかに何もせずただ歩くとき、田園は私の書斎となる」[45] ルソーについてグロはこう付け加えている。「机と椅子を目にしただけで、彼は吐き気を催した」[46]

歩くことの価値に言及した文献は、アメリカ文化にもあふれている。やはり散策の支持者である作家ウェンデル・ベリーは、地元ケンタッキー州の人里離れた野原や森を延々と歩きながら、農業や環境についての考えを深めた。ベリーはかつてこう書いている。

歩いているとき、森の奥で時間をかけて辛抱強く育っていく土にいつも思いを馳せる。そして私の生活のなかのできごとや人々を思い出す――久しぶりの散策は、文化的なできごとだからだ。[47]

ベリーはおそらく、アメリカ一の散歩サポーターと呼ぶべきソローに影響を受けたのだろう。有名なライシーアム（一九世紀アメリカの相互教授を理念とする文化向上運動およびその推進機関）の集会で行なわれ、その死後に〈歩くことについて〉とのタイトルで《アトランティック・マンスリー》誌に採録された講演のなかで、ソローは歩くことを「高貴な芸術」

と呼び、「私のいう〝歩く〟には、エクササイズに通じるところは一つもなく……それ自体が一日の一大イベントであり、冒険であるようなものだ」[48]と明らかにしている。

■
■
■

歴史上の〝ウォーカー〟たちが熱心に歩いた目的はそれぞれだ。ニーチェは健康を取り戻し、哲学について独自の表現スタイルを確立した。ベリーは感覚的なものにすぎなかったノスタルジアに形を与えた。ソローは人が幸福に生きるために不可欠と考えていた自然との結びつきを見つけた。しかしこういったさまざまな動機や目的は、いずれも歩くことが持つ同じ重要な特性に支えられていた。歩けば、実り多き孤独な時間が手に入る。忘れてはいけないのは、ここでいう孤独とは他者の思考のインプットから解放された状態を指すということだ。散らかった文明に反応しないからこそ、歩くことのメリットを享受できる。ニーチェは、歩いて手に入れたアイデアの独創性と、図書館に閉じこもって他者の研究だけに反応する学者の机上のアイデアとを対比して、その点を強調した。「我々は書物のページのあいだのみで思考し、書物から刺激を受ける輩《やから》とは相容れない」[49]

これらの歴史上の教訓を原動力として、私たちも歩くことを質の高い孤独の源として生活に取り入れるべきだ。そのためには、ソローの警告を心にとどめなくてはならない。ここでいう〝歩く〟とは、気分転換のためのちょっとしたエクサイズではない。本物の、森の深くに分け入るような、なだらかな山道を行くニーチェにならった、長い徒歩旅行だ――それこそが有意義な孤独に必要な条件なのだ。

私はかなり前からこの哲学を実践している。マサチューセッツ工科大学の博士研究員だったころ、妻と私は、大学キャンパスからロングフェロー橋を東側に渡って一・五キロほど行った地区、ビーコンヒルに小さなアパートを借りて住んでいた。私は毎日、天候にかかわらずその道を徒歩で通った。帰り道にチャールズ川の土手で妻と待ち合わせることもあった。先に着いたときはそこで読書をして待った。いみじくも、ソローやエマソンの著作と初めて出会ったのはそこで、チャールズ川の土手に腰を下ろしているときだった。

現在はメリーランド州タコマパークに住んでいる。ワシントンDCの環状道路の内側の町だから、通勤を兼ねて川沿いを長々と歩くことはできない。しかしこの町に引きつけられた理由の一つは、よく手入れされた大きな並木に守られた歩道をどこまでも歩けることだ。引っ越してまだ間もないが、用もないのにタコマパークの通りを行ったり来たりしている〝変人教授〟として早くも有名人になりつつある。

散歩の目的はいろいろだ。たいがいは、大学教授として抱える問題の解決に取り組むか

（本業はコンピューターサイエンス研究なので、数学的な証明を考えるとか、執筆中の本の一章のアウトラインを組み立てるとか）、熟考すべきと判断した人生のいずれかの側面について内省するかしている。ときには〝感謝の散歩〟と私が呼んでいるものに出かけることもある。天気がいいから歩く、気に入っている一角をじっくり歩くというだけのことだ。とりわけ忙しかったりストレスが多かったりする時期であれば、つらい日々がずっと続くわけではないという前向きな気持ちを引き寄せたくて歩くこともある。そういった目的のいずれかを設定して歩き出したはずなのに、本当に考えるべき問題にいつのまにか頭が切り替わっていることもある。そういうときは、自分の認知力の判断を尊重し、孤独が欠如しているとノイズのなかからそういった信号を選り分けるのがどれだけ難しいかに気づかされたりもする。

要するに、もしも散歩ができなければ、私は途方に暮れてしまうだろうということだ。私にとって散歩は、自分と対話する最良の時間になっているのだから。この戦略では、歩いて一人の時間を過ごすあなたなりのメリットを見つけてほしい。戦略としてはシンプルそのもの――定期的に長い散歩に出かけること。できれば景色のきれいな場所がいい。そして、そういった散歩には一人きりで行こう。物理的に一人になるためにという意味だけではない。可能なら携帯電話も置いていくことだ。ヘッドフォンを着けていると、あるいはテキストメッセージのやりとりを追っていると、あるいは――これは絶対にだめだ――〝散歩中継〟をインスタグラムに投稿していると、それは一人で歩いていることにはならず、したがってこの戦略の最大のメリットを経験できない。何らかの必要があって携帯電話を置いていけないときは、バックパックの一番底に押しこんでおこう。そうすれば緊急時には頼れるが、退屈になりかけたからといって即座に引っ張り出すことはできない（携帯電話が手もとにないと不安なら、この一つ前の演習でのこのトピックに関する議論を再読してほしい）。

この習慣の最大のハードルは、時間を取ることだ。私の経験からいえば、何らかの努力をしなければ必要な時間を確保できないだろう。空白の時間が自然に生まれてくることはまずない。つまり、たとえば、仕事のある日はあらかじめカレンダー上でその時間を確保しておくとか（散歩は一日を始める、あるいは終えるのに最適の習慣だ）、家族と相談して、夜や週末に一人でハイキングに出かけられるようにするとか、何らかの事前の準備が必要だ。また〝好天〟の定義を広げておくといい。寒かろうと、雪が降っていようと、歩くことはできる。小雨くらいなんでもない（マサチューセッツ工科大学時代、私は質のいい防水パンツのありがたみを身をもって知った）。私自身の例では、ハリケーンがワシントンDCに接近中に犬を連れて短時間の散歩を強行したことさえある。が、いま思えばあれは賢明な判断だったとはいいがたい。

かなりの努力を強いられることになるが、得られるものはその分大きい。定期的に散歩に出かけているとき、私は純粋に幸福な気持ちでいるし、生産性も――明らかにふだんの何倍も――高くなる。現代の人々、歴史上の人々も、慌ただしい毎日にかなりの分量の孤独を注入することから、同じメリットを得ている。

ソローはかつてこう書いた。

一日に少なくとも四時間――たいがいはそれ以上――世事から完全に解放されて森や丘や野原を心の赴くまま歩くことができなければ、私はおそらく心身の健康を保てない。[50]

多くの人は、ソローほど散歩に生きがいを見いだすことはないだろう。しかし彼と理想を共有し、無理のない範囲でできるかぎりたくさんの時間を確保して〝高貴な芸術〟たる散歩に精を出せば、私たちもきっと、心身の健康を維持していけるはずだ。

演習 自分に手紙を書こう

私の自宅オフィスの書棚の一番上の段に、黒いポケットサイズのモレスキンのノートが一二冊積まれている。一三冊目はいま、通勤に使っている鞄に入れて持ち歩いている。初めてモレスキンを購入したのが二〇〇四年の夏で、いまこれを書いているのが二〇一七年の秋の初め。つまり、だいたい一年に一冊のペースで使い終わっている計算になる。

私のノートの使い方は、歳月とともに変わっている。初めて何か記入したのは二〇〇四年の八月七日、一冊目のモレスキンに書いた。このノートを買ったのはマサチューセッツ工科大学の生協で、ケンブリッジで大学院生として新しい生活を始めた直後のことだ。だから、最初の書きこみのタイトルは、時期にふさわしく、「マサチューセッツ工科大学」で、研究プロジェクトについて思いついたことが箇条書きにされている。一冊目の頭のほうに書かれているのは、主として仕事のテーマだ。大学院生が抱える問題のほか、二〇〇五年初めに出版された私の最初の本『*How to Win at College*（大学で好成績を収める方法）』のマーケティング戦略に関してもかなりの量のメモがある。当時は流行していたがすでに過去のものとなった現象を取り上げて書いた箇所など、いま読むとなかなか笑える（たとえば、「ハワード・ディーン（二〇〇四年の民主党大統領予備選に立候補した政治家）のキャッチフレーズを手本にしよう——民衆に力を!」と大上段に構えて書いたかと思えば、〔誓っていうが、決していまでっち上げたものではない〕UGGのブーツや二〇〇〇年代初頭に大流行したリアリティ番組《オズボーンズ》を論じていたりする)。

しかし二〇〇七年前半になると、記述のテーマは研究プロジェクト一点張りから広がりを見せ始め、自分の人生全体を視野に入れた考察や計画などが増えていく。たとえば「今学期、集中して取り組むべき五つの課題」というタイトルの記述もこの時期のもの。また、このころ試していた思考整理法「空白ページ生産術」に関するアイデアも書きこまれている。二〇〇八年秋になるといっそう内省的になり、「よりよく」というタイトルのもと、研究生活と私生活の両方にまたがる展望を事細かに書きつけていた。「最良の結果を出すまで自分を甘やかさない」ともっともらしい注文を自分に突きつけて、その項目は終わっている。

同じ年の一二月には、「ザ・プラン」と題された項目がある。その下に「人間関係」「道徳」「人格」という見出しがあり、人生における大切なことが箇条書きにされている。これを書いたときのことはいまもよく覚えている。ハーヴァード広場近くのエレベーターのないアパートの四階の部屋で、ベッドに座って書いた。友人の親の葬儀から帰宅したばかりで、自分が大切に思っていることがらを明確にしておかなくてはという思いに急に駆られたのだ。以来、新しいモレスキンのノートを使い始めるときの儀式は決まっている。最初のページを開いて「ザ・プラン」と書き、その時点での〝大切なことリスト〟を古いノートから書き写すのだ。

二〇一〇年に書いた内容はとりわけ興味深い。その後、『今いる場所で突き抜けろ！——強みに気づいて自由に働く4つのルール』（ダイヤモンド社）、『大事なことに集中する』、そしていまあなたが読んでいるこの本という三冊になって実を結んだアイデアの種がここで蒔かれているのだ。つい最近、ノートをひととおりめくってみて驚いた。〝好きなことを仕事にする〟危険性や、多目的計算機の時代にこそ職人的技能がものをいうといった主張が、この時点でほぼ完成していた。未来を見通したかのように、テクノロジー重視のまったく新しいミニマリズム——当時は〝シンプル主義2・0〟と呼んでいた——の原型もすでにできていた。

二〇一二年の終わりに第一子が誕生した。当然のことながら、二〇一三年のノートには、父親になるとはどういうことかを考えたり、そのためにすぐに取り組むべきことを書き出したりしているページが多い。終身教授職とコンスタントに作品を出す作家業という二つの大きな目標を達成したいま、一番新しいノートには、今後の計画を明快にするための記述が多い。計画の完成までにはあと二冊か三冊分、自分の内面を探ることになるかもしれないが、自分史が頼れるガイドになるものなら、かならずそのゴールにたどりつけるだろう。

■　■　■

私のモレスキンのノートは、厳密には日記ではない。決まったスケジュールで書きこんでいるわけではないからだ。ノートをぱらぱらとめくってみると、書くペースがかなりまちまちであることに気づく。一週間で何十ページも書くこともあれば、何カ月も何一つ書かないときもある。これといったできごとのなかった二〇〇六年——基本的に、大学院の勉強に遅れまいと机にかじりついて過ごしていた——は、一行たりとも書かずに過ぎた。

これらのノートは、日記とは違った役割を果たしている。難しい決断に直面したとき、悲しみに押しつぶされかけたとき、アイデアがあふれ出てきたとき、自分に宛てて手紙を書く場となっているのだ。頭のなかの断片をまとめて文章の形にし、ノートに書きつけたときにはもう、答えが出ていることは少なくない。定期的にノートを見返すのを習慣にしてはいるが、たいがいは単に習慣だからそうするだけのことだ。多くのメリットを生むのは、書くという行為そのものなのだ。

この章の初めのほうで、レイモンド・ケスレッジとマイケル・アーウィンによる孤独の定義を紹介した。孤独とは、自分の思考が他者の思考のインプットから切り離された意識の状態だ。自分に宛てて手紙を書くのは、まさにこのタイプの孤独を作り出す優れた方法の一つだろう。外部のインプットから解放されることに加え、思考を整理してまとめるとき観念を支える足場となる。

もちろん、書く行為と孤独に結びつきを見いだしたのは、私一人ではない。ケスレッジとアーウィンは共著書で、ドワイト・アイゼンハワー大統領が難しい決断に道筋をつけたり強烈な感情を抑えたりするため、キャリアを通して「書きながら考える習慣」を実践していたと紹介している[51]。こうした習慣を持っていた大統領はアイゼンハワーだけではなかった。この章の前のほうで触れたように、ソルジャーズ・ホームのコテージを訪れるとき、エイブラハム・リンカーンは頭に浮かんだことを紙片にメモし、帽子の裏地に大事にはさんでいた[52]（リンカーンの奴隷解放宣言の草稿の一部は、何枚もの紙片に分かれていた断片を集めて書かれたと言われている。これにヒントを得て、国定史跡リンカーンのコテージを運営している非営利団体では、若い学生を対象に、より綿密で独創的な思考を促すプログラムを運営している。プログラム名は〈リンカーンの帽子〉だ）。

困難や不安に直面したら、自分に宛てて手紙を書く時間を作ってみよう。この戦略が有効であることは歴史が証明している。私の例にならってそのためのノートを特別に用意しておくのでもいいし、エイブラハム・リンカーンのように、必要に応じて手近な紙片に書きつけるのでもいいだろう。重要なのは、書くという行為そのものだ。書くことによって意識が切り替わり、生産的な孤独が訪れる。あなたの注意をそらそうと待ちかまえているデジタルのおもちゃや習慣性のあるコンテンツの誘惑からあなたを引き戻し、そのときあなたの人生に起きている重要なことがらを理解するのに必要な秩序を与えてくれるだろう。

気軽に実践できるシンプルな演習だが、その効果にきっと驚くはずだ。

5 〝いいね〟をしない

スポーツ史に残る頂上決戦

二〇〇七年、スポーツ専門局ESPNは、チャンネル史上もっとも奇妙なスポーツ・イベントを放映した[1]——USAロック・ペーパー・シザーズ・リーグ（ロック・ペーパー・シザーズはじゃんけんのこと）の全国大会だ。いまもYouTubeで視聴可能な決勝戦は、これから対戦する二人の〝RPSの天才〟（RPSはロック、ペーパー、シザーズの頭文字）を紹介し、大真面目な調子で「これからみなさんは〝スポーツ史に残る頂上決戦〟を目撃することになります」と宣言する実況中継アナウンサーの興奮した声から始まる。

決勝戦は、ミニサイズのボクシング・リングの中央に設置された台をはさんで行なわれる。選手の一方は眼鏡をかけ、カーキパンツを穿《は》き、半袖のボタンダウンシャツを着ている。彼はリングに入ろうとしたときロープに足を引っかけて転びかけた。ニックネームは

〝ランド・シャーク〟。続いて登場した対戦相手の〝ザ・ブレイン〟もやはりカーキパンツを穿いていた。彼はつまずかずに無事リングに入る。解説者が「これは縁起がいいぞ」といらぬコメントをした。

審判が現われ、平手を台に置いて、最初のラウンド開始を宣言する。選手は拳《こぶし》を上下させて三つカウントしたあと、ロック《グー》、シザーズ《チョキ》、またはペーパー《パー》を出す。ザ・ブレインはパー、ランド・シャークはチョキ。ランド・シャークに一ポイント！ 場内は歓声に包まれる。およそ三分後、最後のラウンドでザ・ブレインはグー、ランド・シャークはパーを出し、アナウンサーは「紙のかさかさいう音が世界中に響き渡った！」と宣言した。得点でリードしたランド・シャークが優勝賞金五万ドルを手にした。

初めて見た人は、グー・チョキ・パーの三つで戦うじゃんけんの何がおもしろいのかときっと不思議に思うだろう。ポーカーやチェスと違い、戦略の入りこむ余地はなさそうに見えるし、そうであれば、試合の結果はただの偶然でしかないに違いない。しかし、実際はそうではない。じゃんけんリーグ人気が最高潮に達していた二〇〇〇年代前半、トーナメント・ランキング上位に名を連ねる顔ぶれはいつもだいたい同じ、高度なスキルを持った一握りの強豪だった。熟練した選手と初心者が対戦すると、スキルの差はいっそう顕著になる。[2] 全米リーグが製作したプロモーション動画で、[3] トーナメントの常連選手の一人、マスター・ローシャンボーラーがラスベガスのホテルのロビーで一般の人々にじゃんけん対戦を挑んでいるが、そのほぼすべてでマスターが勝利を収めている。

＊

こうした結果になるのは、第一印象と違って、じゃんけんは戦略が必要なゲームだからだ。といっても、ザ・ブレイン、ランド・シャーク、マスター・ローシャンボーラーのような一流選手とじゃんけん初心者を分けるものは、ゲームのセオリーを丸暗記していることではないし、彼らが戦略の天才だからでもない。もっと包括的なトピック——人間心理を、彼らが高度に理解していることにその理由がある。

強い選手は、対戦相手のボディランゲージと直近の試合内容という豊富な情報を総合して分析し、そのときの精神状態を推測する。そしてそれをベースに次の手を予測するのだ。また、何気ないしぐさや言葉で対戦相手に暗示を与え、自分の狙いどおりの手を出させたりもする。しかし対戦相手もその暗示に気づき、出そうとしていた手を変えることもある。そしてもちろん、もう一方もこれを予期して戦略を微調整し、それを察した相手が……と続く。じゃんけん大会の参加者はよく、神経のすり減るゲームだと話すが、当然といえば当然のことなのだ。

いま説明したような駆け引きが実際の試合でどう行なわれているのか、冒頭に紹介した二〇〇七年の決勝戦の最初の勝負に戻って見てみよう。スリーカウントを始める直前、ザ

・ブレインは「いこうぜ《レッツ・ロール》」と言っている。どういうことのない一言と聞こえるが、実況アナウンサーはこれを、相手にグー《ロック》を出させるための「サブリミナル作戦」と解説した（〝ロール〟から〝転がる石《ローリングロック》〟を連想させるわけだ）。〝グーの種〟を相手の頭に植えつけたザ・ブレインは、パーを出す。ところが彼のサブリミナル作戦は裏目に出た。ランド・シャークは作戦を察してザ・ブレインの手を予測し、自分はチョキを出して、このラウンドのポイントを獲得した。

■　■　■

じゃんけんのチャンピオンの心理を理解することが重要なのは、彼らの戦略を分析すると、地球上のすべての人に備わっている基本的な資質――複雑な社交スキル――が理解しやすくなるからだ。このスキルをじゃんけんという限定的な目的に活かすにはそれに特化した練習が必要だろうが、このあと詳しく説明するように、じゃんけんの達人が相手を誘

＊フランス人名ローシャンボー（Rochambeau）と、じゃんけんの英語の俗称ローシャンボー（roshambo）をもじったニックネーム。

導したり心を読んだりするのに似た高度な技能を日々のごくふつうのやりとりのなかで自分が駆使していることに、大多数の人は気づいていない。人間の脳は、いろいろな意味で精巧な社交コンピューターと解釈できるのだ。

この現実から自然に導かれる結論は、他者とつながってコミュニケーションを図るために人間が本来使っている方法を脅かすような新しいテクノロジーの扱いには注意すべきであるということだ。人類の繁栄と切り離すことのできない資質をもてあそぶと、厄介な問題が生まれかねない。

この章では、人間の脳は豊かな社会的交流を渇望するよう進化してきたことを説明し、きわめて魅力的ではあるが、はるかに薄っぺらな電子信号にそれを置き換えた場合、どのような深刻な問題が生じかねないかを掘り下げていく。そのあと、新しいコミュニケーション・ツールをこれまでどおり活用したいが、それがもたらす害は回避したいというデジタル・ミニマリストに向けて、いくらか過激な戦略を提案する。新しい形式のコミュニケーション法を、昔ながらのそれを支援する脇役として利用する戦略だ。

脳は「つながりたがり」

人間は他者との交流とコミュニケーションをことのほか好むことは、古くから知られている。アリストテレスが「人は元来、社会性を持った動物である」と述べた[4]ことは有名だ。とはいえ、アリストテレスの直観が生物学的にも真実であると確認されたのは、人間の長い歴史のなかでも比較的最近だ。

この理解につながる重大な瞬間が訪れたのは、一九九七年、権威ある医学誌《ジャーナル・オブ・コグニティブ・ニューロサイエンス》にワシントン大学の研究チームによる二本の論文[5]が掲載されたときだった。この時期、もともと医学検査を目的として開発された陽電子放出断層撮影《PET》スキャナーが神経科学研究でも使われるようになり、神経科学者は脳の活動をリアルタイムに観察するという革新的な力を手に入れた。ワシントン大学の研究チームは、ある単純な疑問の答えを探して、PETを用いた脳画像研究を数多く分析した。その疑問とは――脳のあらゆる活動に関わる脳領域は存在するのか。

心理学者のマシュー・リーバーマンは、二〇一三年の著書『21世紀の脳科学――人生を豊かにする3つの「脳力」』（講談社）で、初期の分析結果には「がっかりさせられた」と書いている。「すべての課題を通じて活発な活動を示した脳領域はごく一部しかなく、どれもあまり興味深い脳領域ではなかった」[6]からだ。しかし研究チームはあきらめなかった。数多くの異なった課題で共通して活発な活動を示す脳領域は発見できそうにないとわかると、今度は正反対の疑問を追究することにした――もし存在するなら、人が何かの課題に取り組もうとしていないときに活発になる領域はあるのか。「ふつうはそんなことを調べようとは思わない」とリーバーマンはいうが、調べてくれたことに感謝すべきだろう。なぜなら、この疑問からすばらしい発見が生まれたからだ。研究チームは、課題に取り組んでいないあいだは絶えず活動しているが、何かに取り組もうと意識を集中しているあいだは絶えず休んでいる脳領域を発見した。

どのような種類の課題であってもこの脳領域のネットワークの活動は低下するため、研究チームは初め〝課題誘発活動低下ネットワーク〟と呼んでいたが、あまりにも長ったらしいので、やがてもっと簡潔で覚えやすい名前がついた。〝デフォルト・モード・ネットワーク〟だ。

当初、このデフォルト・モード・ネットワークの役割はまったくわからなかった。活動を低下させる課題の長いリスト(すなわちこのネットワークが何をしないかのリスト)はあったものの、真の目的を示す確実な証拠はほとんどなかった。しかし、確かな証拠がなくても、研究者は自分の経験をもとに直観を働かせ始めた。そうやって先駆的に考えた研究者の一人がマシュー・リーバーマンというわけだ。ここからしばらく、彼をガイド役として説明を続けていこう。

リーバーマンによると、デフォルト・モード・ネットワークが活動している画像が撮影できるのは、PETスキャナーに入った被験者に、それまで繰り返していた課題を中断していったん休憩にしましょうと伝えたときだという。被験者は具体的な課題に取り組んでいない状態になるため、デフォルト・モード・ネットワークは、人が何も考えていないときに活動が活発になる領域と考えていいだろう。ただ、自分の経験を振り返ってみれば、脳が本当に何も考えていない瞬間というのはほとんどないとわかる。特定の課題に取り組んでいなくても脳はせっせと活動を続け、考えや思いつきがやかましいおしゃべりのように脳内をせわしなく飛び交っている。自分の経験をさらに深く探ってみたところ、そういったバックグラウンドのおしゃべりの話題はごく限られたものであることにリーバーマンは気づいた――「ほかの誰か、自分自身、またはその両方」[8]。要するにデフォルト・モード・ネットワークは、社会的認知に関連しているらしいのだ。

何を探すべきかがわかったうえで調べると、次のようなことが確認できた。デフォルト・モード・ネットワークと定義された脳領域は、社会的認知実験のさなかに活発な活動を示す領域と「ほぼ一致」[9]している。つまり、休憩時間を与えられると、脳は自動的に社交生活について考え始めるのだ。

リーバーマンの研究が興味深い展開を示すのはここからだ。デフォルト・モード・ネットワークは社交と関係があるという結論に達した当初、リーバーマンはさして驚かなかった。同じ分野のほかの研究者と同じように、人間は生まれつき自分の社交生活に強い関心を持っていることは知っていたから、やることがなくなるとそれについて考え始めるとしても、驚くことではない。しかし、社会的認知のさまざまな側面についての研究を進めるうち、リーバーマンの見解は変わっていった。「自分はデフォルト・モード・ネットワークとの関係を逆向きに考えていたようだとの確信が強まった」[10]とリーバーマンは書く。「考える方向をひっくり返すことがきわめて重要だった」現在では「人間が社交生活に関心を持つのは、暇な時間ができると、デフォルト・モード・ネットワークを起動するように作られているからだ」と考えるようになった。別の言い方をすれば、人間の脳は、認知の休止時間に入ると、自動的に社交生活について考え始めるよう順応してきたということだ。そしてそのように順応した結果、社交生活に強い関心を抱くようになった。

リーバーマンと共同研究チームは、この仮説を裏づけるために巧みな実験を開始した。たとえばあるリサーチでは、新生児の場合でも休止時間にはデフォルト・モード・ネットワークの活動が活発になることが判明した。この発見は重要な意味を持つ。新生児は「社交生活への関心を身につけていないことは明らかで……（被験者となった乳幼児は）まだ目の焦点すら合っていない」[11]のだから。つまり、デフォルト・モード・ネットワークが活発化するのは本能的なことということになる。

別のリサーチでは、（成人の）被験者をスキャナーに入れて算数の問題を解いてもらった。問題と問題のあいだに三秒の休止時間――別のことを考え始めるには短すぎる時間――をわざと設けたところ、デフォルト・モード・ネットワークはやはりこの短い空白を埋めるべく活発化した。これは社交について考えようという衝動が反射作用のように一瞬で発生することを裏づけている。

この発見は、人としての幸福の土台に他者とのつながりが欠かせないということを明確にしている。リーバーマンはこれについて次のようにまとめている。「数百万年もの時間をかけて進化した結果として私たちの脳が身につけたものが、空き時間に生存と無関係なことをする習慣であるはずがない[12]」しかし、これはデフォルト・モード・ネットワークに限った話ではない。その後リーバーマンと共同研究チームが続けて行なったリサーチにより、進化は無謀にも社交に全財産を賭け、ほかのひじょうに高くつくシステムがそれを援用するような仕組みを作り上げたのだ。

たとえば、他者とのつながりが失われると、それがトリガーとなって、身体的な苦痛を感じるシステムが起動する。家族を亡くしたり、パートナーと別れたりしたとき、あるいは単に誰かに冷たくあしらわれただけの場合でも、人がたいへんな苦痛を感じるのはそのためだ。ある単純な実験により、社交上の苦痛は市販の鎮痛薬で軽減できることがわかっている。苦痛システムが行動に及ぼす影響の大きさを考えれば、それと社交生活とが結びついているのは他者とのつながりが人類の繁栄を左右する重大な要素であるからだとわかる。

リーバーマンはまた、人の脳はかなりのリソースを二種類の主要なネットワークに振り向けているようだという。この二つのネットワークは、協調して〝メンタライゼーション〟というゴールを目指す――つまり、どんな感情を抱いているか、どのような意図を持っているかなど、他者の心の状態を理解するのを助ける。店員と何気ないやりとりをするだけでも、店員の頭のなかで何が起きているのかを示す手がかりは大量にあり、その大量の情報を受け取って処理するには莫大な神経計算力を必要とする。私たちはこの〝読心〟を当然のように行なっているが、実際には数百万年以上の進化を通じて鍛え上げられてきた脳内のネットワークによって実現されている、おそろしく複雑な芸当なのだ。この章の最初に紹介したじゃんけんの達人たちが頼りにしているのも、まさにこの高度に順応したシステムだ。

さまざまな実験を紹介してきたが、これは社会認知神経科学の膨大な文献の主要な一部にすぎない。そしてその膨大な文献はいずれも同じ結論を指し示している――人間は、他者とつながるようにできている。言い換えれば、人は社会的な動物であるとしたアリストテレスの言葉は真実をついていたが、最近になって高度な脳スキャナーが開発されたおかげで、アリストテレスが人間の本質を深く理解していたことが私たちにもようやくわかり始めたということだ。

■■■

他者とのつながりに強い関心を持つように進化していることは、人類の進化の歴史のうちの興味深い要素の一つだ。しかしそれはまた、デジタル・ミニマリストにとって懸念すべき現実でもある。ここまで述べてきたような脳の複雑なネットワークは、数百万年をかけた進化の結果だが、その間《かん》、人類はつねに、他者と面と向かい合って交流する機会が豊富な環境、しかも社会的集団の規模が小さく、部族的であるような環境に置かれていた。ところが過去二〇年間で、デジタル・コミュニケーション・ツール――デジタル・ネットワークを介した交流を可能にするアプリやサービス、ウェブサイトをひっくるめた私の呼び名――が急速に普及した。人々の社交のネットワークは比較にならないくらい広がり、地理上の制約を受けなくなった。その一方で、文字ベースの短いメッセージや承認のクリックによる交流が奨励され、やりとりされる情報量は大幅に減って、進化の結果として人類が処理できるようになっているはずの量の何十分の一、何百分の一にまで減っている。

予想どおりというべきか、旧来の神経システムと現代の技術革新の衝突は、問題を引き起こしている。二〇世紀なかばの高度に加工された食品という〝技術革新〟が、世界中の人々の健康に危機的な悪影響を及ぼしたように、いわば社交のファストフードであるデジタル・コミュニケーション・ツールの意図せぬ副作用は、負けず劣らず厄介な問題となりつつある。

ソーシャルメディアのパラドックス

デジタル・コミュニケーション・ツールが私たちの心の健康にどのような影響を及ぼしているかを測るのは困難だ。これについて調べた科学研究には事欠かないが、同じ文献を元にしていても、導き出された結論は研究グループごとに異なっている。

二〇一七年のほぼ同時期に公表された、この話題に関する対照的な解釈を例に考えてみよう。一つは、二〇一七年三月にナショナル・パブリック・ラジオ（NPR）のニュースサイトに投稿された記事[13]で、ソーシャルメディアの利用時間と健康との関連について調べた最新の大規模研究二本が簡単に紹介されている。いずれの研究でも、ソーシャルメディアの利用と、孤独感から身体的健康の悪化までさまざまなマイナス要素とのあいだに相互関係があるとされている。NPRの記事のタイトルは、それらの研究で明らかになった事実を端的に示している──「孤独を感じる? ソーシャルメディアの使いすぎが原因かも」。

このNPRの記事からまもなく、フェイスブックの社内研究チームの二人が、二〇一六年の大統領選挙にまつわる疑惑の余波として高まりつつあったフェイスブック批判に反論する記事をブログに投稿した。この記事では、ソーシャルメディアの使い方によっては幸福感が減じる可能性があることを認めながらも、「適切に使えば[14]」フェイスブックのようなサービスはユーザーの幸福度を大幅に向上させると立証した複数の研究が挙げられている。また、友人や家族と連絡を取り合う目的でフェイスブックを利用した場合、「喜びがもたらされ、連帯感が強まる[15]」とした。

要するに、ソーシャルメディアは人を孤独にするのか、それとも喜びをもたらすのか、意見を求める相手によって答えは違うということだ。

矛盾した結論が導き出される現象をより深く理解するために、いま紹介した二つの記事で引き合いに出された研究について詳しく見てみよう。フェイスブックのブログ記事で主に取り上げられた前向きな研究論文の一つは、フェイスブックのデータサイエンティスト、モイラ・バーク（ブログ記事の執筆者の一人でもある）と、カーネギー・メロン大学のヒューマン・コンピューター・インタラクション（HCI）スペシャリストのロバート・クラウトが共同で執筆し、二〇一六年七月に学術誌《ジャーナル・オブ・コンピューターメディエイテッド・コミュニケーション》[16]に掲載されたもの。この研究でバークとクラウトは、一九〇〇名ほどのフェイスブック・ユーザーを募り、入力を促された時点での幸福度を数値化して提供してもらった。それからフェイスブックのサーバーログを参照して、特定のソーシャルメディア利用と幸福度のスコアの関係を探った。その結果、よく知っている人物が書いた〝自分宛の〟〝編集された〟情報（たとえば、家族の誰かから自分に宛てられたコメント）を受け取ったとき、ユーザーの幸福度は向上した。対照的に、よく知らない人物から自分宛の編集された情報を受け取ったとき、または〝いいね〟がついたとき、または不特定多数に向けて発信された近況を読んだときには幸福度は変わらなかった。

フェイスブックのブログ記事で引き合いに出されたもう一つの前向きな研究論文は、ベルリン自由大学の社会心理学者フェン・ディターズとアリゾナ大学の社会心理学者マシアス・メールによるものだ。[17]こちらは二〇一三年九月に学術誌《ソーシャル・サイコロジー・アンド・パーソナリティ・サイエンス》に掲載された。この研究で、ディターズとメールは対照実験を行なっている。一部の被験者は、実験の一週間にふだんよりも多くフェイスブックに投稿するよう指示され、残りの被験者はとくに指示を与えられなかった。投稿を増やした実験群は、対照群に比べ、孤独感が軽減したと報告した。より詳しく調べたところ、友人とのつながりを日々実感できたおかげだとわかった。

この二つの研究論文は、ソーシャルメディアは幸福度を向上させ、孤独感を解消するという説得力のある結論を示しているように思える。だが、すんなりとそう納得する前に、フェイスブックのブログ記事と同時期に発表されたNPRの記事で引用されている、ソーシャルメディアに批判的な立場を取った主な論文二本を検討してみよう。

批判的な論文の一つは、ピッツバーグ大学のブライアン・プリマックのもと、多彩な分野から大勢の研究者が集まって行なわれた大がかりなものだ[18]。これは二〇一七年七月に、権威ある学術誌《アメリカン・ジャーナル・オブ・プリベンティブ・メディシン》に掲載された。プリマック率いる研究チームは、選挙期間中の世論調査でランダムにサンプルを抽出する際と同じテクニックを使い、一九歳から三二歳までの成人を全国代表サンプルとした。そして被験者に対し一連の質問をして、被験者自身が認識する社会的孤独（PSI）――いわば孤独指数――を計測した。また人気のあるソーシャルメディア・サービスを一種類選び、それぞれの利用頻度と利用時間も尋ねた。回答を集計したところ、ソーシャルメディアを利用すればするほど、孤独指数は上昇する傾向にあることがわかった。ソーシャルメディアの利用頻度と利用時間が多いほうから四分の一までに属する被験者は、少ないほうから四分の一に属する被験者に比べ、孤独指数はなんと三倍高かった。年齢、性別、交際相手の有無、世帯収入、学歴などの要因を調整したあとでも結果は変わらなかった。NPRの取材に応じたプリマックは、この結果に驚いていると述べている。「ソーシャルメディアなのですから、社会的《ソーシャル》なつながりが強まると思うでしょう？[19]」しかし、データは明快だった。そういったサービスを使って〝つながればつながるほど〟、孤独感は強まる傾向が認められる。

NPRの記事に引用されたもう一つの論文は、カリフォルニア大学サンディエゴ校のホリー・シャキアとイェール大学のニコラス・クリスタキスによるもので、二〇一七年二月に学術誌《アメリカン・ジャーナル・オブ・エピデミオロジー》に掲載された。シャキアとクリスタキスは五二〇〇名を超える全国代表サンプルに対してパネル調査を行なうと同時に、フェイスブックでの行動を調べた。その結果、フェイスブックの利用と、自己申告による身体の健康レベル、心の健康レベル、人生の満足レベル（そのほか、生活の質に関する多くの指標）との関連を探った。論文では次のような結論が出されている。「全体として、フェイスブックの利用と幸福度とのあいだには負の相関があることがわかった[20]」たとえば、〝いいね〟やリンクのクリック回数が一標準偏差増えると、心の健康レベルは一標準偏差の五〜八パーセント低下する。こういった負の相関は、プリマックの研究の場合と同じように、関連する人口動態変数を考慮に入れた場合でもやはり当てはまる。[21]真っ向から対立するこれらの研究論文は、矛盾した事実を提示しているように見える――ソーシャルメディアを利用すると、つながっている実感を得られるものの孤独感は強まり、幸福を感じる一方で悲しくもなる。この矛盾を解決するために、いま紹介した四つの研究の実験計画をもう少し詳しく見てみよう。肯定的な結果を示した研究は、ソーシャルメディア・ユーザーの特定の行動に的を絞っているが、否定的な結果を示した研究は全般的な使用に焦点を当てている。そういった要素は正の相関にあると考えるのが当然だろう――ソーシャルメディア一般が幸福度を向上させるなら、サービスを利用すればするほど、また気分が高揚する行動を取れば取るほど、幸福度は向上するはずだ。したがって、肯定的な研究論文を読むかぎり、ソーシャルメディアの利用時間を増やせば増やすほど幸福度も上がるはずということになる――が、いうまでもなく、これは否定的な研究から導かれた結論とは正反対だ。

とすると、別の要因が関係していると考えられる。ソーシャルメディアを使えば使うほど増える何らかの要因がマイナスの影響を生み出し、それよりも小さなプラス影響をのみこんでしまうに違いない。幸いなことに、ホリー・シャキアがその要因の容疑者を挙げている——ソーシャルメディアを使ったオンラインでのコミュニケーション時間が増えると、その分だけオフラインでのコミュニケーション時間が減るのだ。シャキアはNPRの取材にこう答えている。「いまの時点でいえるのは、リアルの世界での人間関係をソーシャルメディアの利用で置き換えると、幸福度は低下するということです」[22]

シャキアとクリスタキスは、これについてさらに詳しく調べるためにオフラインでの交流時間も集計した。その結果、オフラインでの交流はプラスの影響を及ぼすことがわかった。同じことは、ほかの社会心理学の研究でも認められている。二人が論文で述べているようにフェイスブックの利用との負の相関は、オフラインでの交流がもたらすプラスの影響の大きさにほぼ等しい——つまり、一方が増えればもう一方は減るトレードオフの関係にあることを示している。

とすると、問題は、ソーシャルメディアを利用するとただちに幸福度が下がるということではない。それどころか、右で引用した肯定的な研究論文によると、ソーシャルメディアにおける特定の活動は、実験でそれだけを取り出して見た場合、控えめながら幸福度を向上させる。ここで重要なのは、ソーシャルメディアを利用すると、それよりもはるかに価値の高いリアルの世界での社交の時間が減るだろうということだ。否定的な研究論文が示唆するように、ソーシャルメディアを使えば使うほど、オフラインでの交流に費やす時間は減る傾向にあり、したがって価値の不足幅は大きくなる――ソーシャルメディアのヘビーユーザーほど、孤独感やみじめな気分が強まりやすいわけだ。友達のウォールにポジティブな投稿をしたり、インスタグラムにアップされたばかりの写真に〝いいね〟をつけたりすれば、気持ちはほんの少し上向くかもしれないが、同じ友達とリアルの世界で一緒に過ごす機会がなくなった分の大きな損失を埋め合わせるには遠く及ばない。

シャキアはこうまとめている。「何を警戒すべきかといえば……面と向かって話したり、友人と一緒にコーヒーを飲んだりする代わりに、投稿に〝いいね〟をつける行為です」[23]

■　■　■

オンラインでの交流より、リアルな世界での交流のほうが価値が高いという見解は、意外なものではない。私たちの脳は、オフラインで相手と顔を合わせてする交流が唯一のコミュニケーションだった時代の進化の産物だ。この章の前のほうで述べたように、オフラインでの交流は驚くほど豊かな経験だ。なぜなら、ボディランゲージや表情の変化、声の調子など、微妙なアナログのヒントから得られる大量の情報を脳内で処理しなくてはならないからだ。一般的なデジタル・コミュニケーション・ツール上で行なわれる低帯域幅のおしゃべりは、オフラインでの豊かな交流の幻を作り出すことはできるかもしれないが、人間の脳に備わっている高性能な社交プロセス・ネットワークには物足りない。つまり、せっかくの性能を生かしきれず、人間のきわめて高い社交欲を満たすことができないのだ。だから、アナログな会話やリアルの世界での活動によって生まれる価値に比べると、フェイスブックのコメントやインスタグラムの〝いいね〟から生まれる価値は――その価値自体は幻ではなくても――低い。

デジタル・コミュニケーション・ツールを使えるとなると、なぜみなオフラインでの交流よりオンラインのそれを優先するのか、その理由を解明できるだけのデータはまだない。しかし、誰もが日常のなかで経験することがらから、それなりに説得力のある仮説を導き出すことはできるだろう。すぐに思いつく要因として、旧来の会話に比べ、オンラインでの交流は簡単で速いことが挙げられる。人間は生来、短期的に必要なエネルギーが少ない活動を好む傾向にある。長期的に見ると、害が大きいとわかっていてもだ。だから、きょうだいに電話をかける代わりにテキストメッセージを送り、友人宅を訪問する代わりに誕生したばかりの赤ちゃんの写真に〝いいね〟をつける。

もう少し目に見えにくい要因として、デジタル・コミュニケーション・ツールは、現に残っているオフラインでのコミュニケーションを駆逐することが挙げられる。他者とつながりたいという人間の原始的本能はきわめて強く、友人と会話をしている最中、あるいは子供を風呂に入れている最中であっても、デバイスをチェックしたいという衝動に抗うのは難しい。おかげで目の前の豊かな交流の質が低下してしまう。私たちのアナログな脳は、現に同じ空間で一緒にいる人物と、たったいま新しいテキストメッセージを送ってきた人物のどちらが重要か、うまく判断することができない。

そしてもう一つ、この本のパート1で詳しく説明したように、デジタル・コミュニケーション・ツールの多くは、人間の社会的本能を乗っ取って習慣性のある行動に向かわせるように設計されている。一日に何時間も休みなくタップしたりスワイプしたりしていると、スローな交流に割く時間ははるかに少なくなる。休みなくデバイスを使っていると、他者と交流しているという錯覚が生まれ、自分は人間関係の維持に充分に力を注いでいる、これ以上何かする必要はないと勘違いしてしまう。

いうまでもないことではあるが、デジタル・コミュニケーション・ツールがはらむ危険は、ここに挙げたものだけではない。ソーシャルメディアは疎外感や劣等感をユーザーに与えたり、怒りをかき立てて心身を消耗させたり、部族意識をよくない方角に向けさせたり、場合によっては民主的なプロセスそのものを損なったりしかねないと多くの批評家が指摘している。しかしこの章の残りのページでは、ソーシャルメディアの世界にひそむ病理を論じるのではなく、引き続きオンラインでの交流とオフラインのそれとのゼロ・サム的な関係について論じたい。デジタル・コミュニケーション時代ならではの問題の根源にあるのはおそらくそれであり、新しいツールのプラス面とマイナス面をうまく使い分けたいデジタル・ミニマリストがぜひとも理解しておくべき重大な危険であると私は考えているからだ。

会話を取り戻そう

この章ではここまで、文字ベースのインターフェースや携帯電話のスクリーンを介した交流と、私たち人類が進化の末に渇望するようになった旧来のアナログなコミュニケーションとを区別するのに、垢抜けない用語に頼って議論を進めてきた。ここから先は、マサチューセッツ工科大学教授のシェリー・タークルの用語をいくつか拝借することとしたい。タークルはテクノロジーの主観的体験に関して最先端を行く研究者だ。二〇一五年の『一緒にいてもスマホ――SNSとFTF』（青土社）で、オンラインでの社交生活を定義する低帯域幅の交流を指す接続《コネクション》と、それよりずっと豊かなリアルの世界における人と人との広帯域幅のやりとりを指す会話《カンバセーション》とを明確に区別した。タークルも、私たちと同じように会話こそ重要であるという前提で話を進めている。

対面での会話は、何よりも人間らしい──人を人たらしめている──行為だ。他者ときちんと向き合うことを通じて、人は聞く力を養う。共感する能力を身につける。自分の話を聞いてもらえる喜び、相手に理解してもらう喜びを知る。[24]

この章で引用した定量研究はリアルな会話を避けようとする傾向を明らかにしたが、タークルもやはり〝会話からの逃避〟[25]を指摘した人類学の事例研究を引き合いに出し、会話が接続に置き換えられたことによって幸福度が低下する現象をわかりやすく説明している。たとえば、会話の経験に乏しく、相手の表情の変化を読み取る練習を積んでこなかったために共感力に欠けた中学校の生徒たちや、オンラインでのやりとりにはすべて演技《パフォーマンス》という要素が盛りこまれているため、リアルと演技の境界線がぼやけ始めた気がしているという三四歳の同僚の話を紹介している。職場に目を向けたタークルは、若い職員はどこへ向かうか予想できない対面での会話に怯えてメールに逃避しがちであること、ニュアンスに満ちた会話から曖昧な接続へとコミュニケーションの方法が変わった結果、職場にぎくしゃくした雰囲気がわけもなく広がることに気づいた。

タークルがテレビ番組《ザ・コルベア・レポー》にゲスト出演した際、司会者のスティーヴン・コルベアは〝深遠な〟質問を発し、タークルを一気に核心的な議論へ引きこんだ――「こっちのツイートを一口、あっちのオンラインのやりとりを一口、という具合にちびちび飲んでいるとしても、全部合わせたら、本物の会話をがぶりと大きく飲んだことになりませんかね[26]」。これに対し、タークルは迷いなく答えた。「いいえ、なりません」そしてこう説明した。「対面での会話は時間をかけて展開しますよね。人はそこから忍耐を学びます。声の調子や言葉のニュアンスに注意して耳を澄まします[27]」対照的に、「デジタル・デバイスでのやりとりでは、まったく別の習慣を身につけます」。

真のデジタル・ミニマリストであるタークルは、デジタル・コミュニケーション・ツールの一切合切を排除するのでなく、より賢く利用するという観点からこの問題にアプローチする。「私の立場は決して反テクノロジーではない[28]」と著書に書く。「会話支持であるということに尽きる」そして、人の幸福を支える、対面での会話を取り戻すために必要な変化は起こせるはずだと太鼓判を押し、「ゆゆしき状況ではある[29]」が、会話が消え、接続に置き換わると問題が生じることに気づきさえすれば、みなで行動を変えていけると楽観的に考えているとした。

私もタークルと同じく、この問題にはかならずミニマリスト的な解決法があるはずだと楽観的に考えてはいるが、解決はそう簡単ではないという意味では悲観的に見ている。タークルは著書の終わりに、実のある会話をするための時間をより多く日常に取り入れようという趣旨の提案リストを載せている。この提案が目指しているものについては非の打ちどころがないが、効果は疑わしい。この章の前半で述べたように、デジタル・コミュニケーション・ツールを目的なく利用していると、会話と接続のトレードオフを余儀なくされる。ソーシャルメディアやテキストメッセージなどのツールとの関わり方をまず刷新してからでないと、日常生活にいまより多くの会話を押しこもうという努力は失敗に終わるだろう。これまでどおりのデジタル・ライフを維持しながら、単に本物の会話を増やすのは無理だ――習慣をもっと根本的に変える必要があるだろう。

デジタル・ミニマリズムを成功させるには、自分なりの会話と接続のバランスを見つけるところから始めなくてはならない。この方針に沿った意識改革のために、このあといくぶん過激な解決法を提案したい。いってみればデジタル時代の社交哲学だ。私個人としては理想的な解決法だと思う。この哲学を、Cから始まる単語を三つ並べた〝会話中心《カンバセーション・セントリック》コミュニケーション主義〟と命名した。社交生活の状況は人それぞれだろうから、それに合わせて私の提案に修正を加えてかまわないし、まるごと切り捨ててもいい。ただし、私の提案に代わる問題解決法、私の提案と同じくらい思い切った解決法を考える必要があるという現実を避けて通ることはできない。

■ ■ ■

会話と接続は、社交生活を維持するという一つの目的を達成するための二種類の異なる手段であるという風にとらえている人は多い。この考え方は、自分にとって大切な人間関係を大切に維持していく方法はいくつもあり、いまの時代、昔ながらの対面での会話から友人のインスタグラムの投稿に〝いいね〟をつけることまで、使えるツールは残らず活用すべきだとするものだ。

会話中心コミュニケーション主義は、それよりもっと厳格な立場を取る。この主義では、人間関係を維持するための手段として勘定できるのは会話のみとする。この会話には、実際に顔を合わせることはもちろん、ビデオチャットや電話でのおしゃべりも含まれる。シェリー・タークルが定めた基準――声や顔の表情といった多分に感覚的な手がかりが豊かであること――を満たしていれば、何だってかまわないのだ。一方、文字のやりとりや対話的でない種類の会話――要するにソーシャルメディアのすべて、メール、テキストメッセージ、インスタントメッセージ――は会話には勘定されず、単なる接続に分類される。

この哲学では、接続は連絡手段に格下げされる。そして、このような形のやりとりに二つのゴールを与える――会話のためのお膳立てと、必要な情報（たとえば、待ち合わせの時刻や場所）の効率的な受け渡し。接続はもはや会話に置き換わることはない。会話を支援するだけだ。

会話中心コミュニケーション主義を採用しようと決めた場合でも、連絡事項のやりとりのためにソーシャルメディアのアカウントの一部は残しておくことになるかもしれないが、そういったサービスを朝から晩まで眺め、あちこちに〝いいね〟や短いコメントをばらまき、自分の近況を投稿し、フィードバックがついていないかと盛んにチェックする習慣とはさよならだ。そうなると、それらのサービスのアプリをスマートフォンに入れておく意味はなくなるだろう。入れたままにしておくと、豊かな交流を増やそうという努力をだいなしにされるだけだ。それらのサービスは、具体的な目的があるときだけ起動するパソコンに引っ越させたほうが生産的だ。

同じように、会話中心コミュニケーション主義を採用した場合、楽に情報収集をしたり、社交イベントの打ち合わせをしたり、ちょっとした質問をするために、テキストメッセージ・サービスにはこれまでどおり頼ることになるかもしれないが、時間や目的に制限なくだらだらと続くテキストベースのやりとりに朝から晩までつきあうことはなくなるはずだ。大切にすべき社交は本物の会話だけであり、テキストベースの会話はもはやその代わりにはなりえない。

ここでぜひ注目してもらいたいのは、真にミニマリスト的な会話中心コミュニケーション主義はデジタル・コミュニケーション・ツールの魔法を手放すことを求めないという点だ。それどころか、この主義では、それらのツールには社交生活を大きく改善する力があると解釈する。メリットはさまざまあるが、そういった新しいテクノロジーは会話をお膳立てするプロセスを大幅に簡略化してくれる。たとえば、平日の午後の時間が思いがけずぽっかりと空いたとき、友人たちに向けて手早くテキストメッセージを送れば、一緒に散歩に行く相手が瞬時に見つかるだろう。同じように、懐かしい友人があなたの住む町を訪問中であることをソーシャルメディアで知り、食事の約束をしようと思い立つこともあるだろう。

デジタル・コミュニケーション・ツールの進化には、会話をしたい相手とのあいだの距離という邪魔者を安価に取り除く効果もある。きょうだいが日本に住んでいたとき、私はフェイスタイムを利用してよくおしゃべりをしていたのだが、まるで同じ町内に住んでいる親戚の家にちょっと顔を出すような気軽さで思い立ったときすぐに会話ができた。人類の歴史のほかの時代だったら、そんなことができるのは奇跡としか思えなかっただろう。つまり、この主義はテクノロジーを否定しない——リアルでの社交の機会を縮小するためにではなく、向上させるためにそのツールが使われるのであるかぎり。

念のため付け加えておくと、会話中心コミュニケーション主義は犠牲を伴う。この哲学を採用した場合、活発に連絡を取り合う人数はまず間違いなく減る。本物の会話には時間がかかる。それなりの時間を割いて会話できる人数は、ソーシャルメディアでフォローやリツイートをしたり、〝いいね〟やときにはコメントをつけたりできる相手、たまにテキストメッセージをやりとりしたりできる相手の数と比較すると、圧倒的に少ない。後者を意義ある交流と勘定しないことにすると、当初、社交の輪が縮まったように思えるだろう。

この縮小したという感覚は、しかし、錯覚にすぎない。この章で述べてきたとおり、会話にこそ価値がある。私たちが人として渇望するもの、私たちが生きていくのに必要な、共同体に属しているという感覚を与えてくれるものは、会話なのだ。対照的に接続は、一見魅力的に思えるが、私たちに必要なものをほとんど与えてくれない。

会話中心コミュニケーション主義を導入した直後は、スティーヴン・コルベアのいう「オンラインのやりとりを一口」に代表される心のよりどころが恋しくなるだろうし、自分の社交ネットワークを縁取っていた弱いつながりが一度に消えたためにさみしさを覚えることもあるだろう。しかし節約した時間を少しずつ会話に充てていくうちに、失ったものの大きさよりも、アナログな交流の豊かさのほうが勝《まさ》っていくはずだ。シェリー・タークルの著書に、たった五日間、電話もネットもない環境でキャンプ生活を送っただけで、参加者の幸福度やコミュニティとつながっているという感覚が大きく向上したという研究[30]が紹介されている。ほんの数回だけであっても友人と連れ立って散歩に出かけたり、電話でとりとめのない会話を楽しんだりしてみると、現に目の前にいる相手よりも、いとこの友人がインスタグラムに投稿したばかりの写真にコメントをつけるほうが大事なことに思えたのはいったいなぜなのかと不思議に思えてくるはずだ。

■■■

私が提案した会話中心コミュニケーション主義を採用する、しないは別として、それを支える前提は受け入れてもらえるのではないかと思う——きわめて人間らしい社交性と現代のデジタル・コミュニケーション・ツールとの関係は危険をはらんでおり、注意して扱わなければ生活に悪影響が及びかねない。大学の寮の部屋やシリコンヴァレーのインキュベーター（スタートアップ企業を支援する事業者）の施設のピンポン場から生まれたアプリに、人類が数千年の進化を経て手に入れた豊かな交流に取って代わるだけの力があるとは考えにくい。私たちの社交活動はとにかく複雑で、ソーシャルメディアにアウトソーシングするのは不可能だし、インスタントメッセージや絵文字に押しこめることもできない。

デジタル・ミニマリストは誰でもこの事実に立ち向かい、それらのツールとミニマリストらしいつきあい方をしなくてはならない。この目的のために会話中心のアプローチを採用することを私は推奨する。なぜなら、二段構えのアプローチを採ると——すなわち、デジタル・コミュニケーションと昔ながらのアナログな会話のどちらも維持しようとすると——結局はどっちつかずになるのではないかと懸念しているからだ。とはいえ、この二つのコミュニケーション方法の健全なバランスを維持できる、私よりずっと意志の強い人も多いのかもしれない。だから、いまの時点では独断的に自分の主張を押しつけることは控えようと思う。重要なのは、意識的な判断を行なうことであって、判断の詳細はかならずしも問題ではない。

さて、このミニマリスト的な思考を支援するために、この章の結びとして、会話を取り戻すのに役立つ具体的な演習をいくつか挙げておく。ここまで繰り返してきた注意点は、ここでもやはり有効だ。私の提案がすべてではないし、すべてかならず実行しなければならないというものでもない。私の提案の目的は、私たちが進化の結果として渇望するに至ったタイプのコミュニケーションを取り戻すには、どのような決断をすると役立つか、感覚的につかんでもらうことだ。

演習 〝いいね〟をしない

世の中では〝いいね〟ボタンを発明したのはフェイスブックというのが定説になっているが、実はそうではない。[31] 実際の発明者は、世間の記憶から消えてしまったフレンドフィードというツイッターに似たサービスで、二〇〇七年に〝いいね〟ボタンを初めて導入した。それから一六カ月後、段違いにユーザー数の多かったフェイスブックが、いまとなってはトレードマークともいうべき親指を立てた手《サムズアップ》のデザインの〝いいね〟ボタンを導入し、ソーシャルメディアの潮流を永遠に変えた。

この新機能が発表されたのは二〇〇九年冬に投稿されたブログ記事のなかでだった。フェイスブックのコミュニケーション責任者キャシー・チャンが執筆したこの記事から、革新的な機能を導入した目的は控えめなものだったことが読み取れる。チャンの説明によると、フェイスブックの投稿につくコメントの大部分は、結局のところ同じことを表明している――〝やったね！〟とか〝それってすごい！〟とか。[32] つまり〝いいね〟ボタンは投稿内容に賛同を表明するためのもので、時間の節約が目的だった。何か特別なことを付け加えたいときはコメント欄に書きこめばいい。

本書のパート1で詳しく述べたように、〝いいね〟機能誕生の背景は地味だが、その後、フェイスブックを支える土台に成長した。それまでユーザーがときおりチェックする愉快な娯楽でしかなかったものがデジタル・スロットマシンに変身し、ユーザーの注意と時間を独占し始めたのだ。このボタンは、ランダムなタイミングで届く社会的承認のシグナルの豊かな流れを新たに作り出した。アカウントを何度でもチェックしたいという、抵抗がほぼ不可能な魅惑的な衝動を生み出したのだ。同時にフェイスブックは、ユーザーの好みを知るためのより詳しい情報を入手できるようになった。それを機械学習アルゴリズムで解析してユーザーの人間的属性を統計情報に変換し、ターゲット広告やより長いあいだ注意を独占するようなコンテンツをユーザーに向けて送信することが可能になったのだ。当然ながら、ほかの主立《おもだ》ったソーシャルメディア・プラットフォームもフレンドフィードとフェイスブックの手本にならい、同じようにワンクリックで意思表示できる機能を自社サービスに追加した。

だが、この章の趣旨を考えると、ソーシャルメディア企業が〝いいね〟ボタンからどのような利益を受け取ってきたかには重点を置きたくない。それよりも、人間の本物の会話への渇望にどれだけのダメージを与えたかに焦点を合わせたい。情報理論の厳密な定義に照らし合わせると、〝いいね〟をすることは、何らかの意味を持つコミュニケーションのうち、事実上もっとも情報量の少ないタイプのものであり、（〝いいね〟ボタンを押した）送信者の状態についてほんの一片《ビット》の情報を（投稿主である）受信者に伝えるにすぎない。

この章の前のセクションで、人間の脳は対面での交流で生み出される大量の情報を処理できるよう進化してきたことを裏づける大規模研究を紹介した。そういった豊かな情報をたった一片の情報で置き換えるとしたら、社交情報処理マシンたる人間に対するあまりにもひどい侮辱ではないか。フェラーリを制限速度以下で走らせる程度ではすまない。フェラーリをロバに牽《ひ》かせるに等しい。

■■■

ここまでの考察に基づき、この演習では、ソーシャルメディアの世界にひしめいている多種多様なワンクリック承認についての考え方を完全に変えることを提案する。一回ボタンを押すだけのこの簡単な行為を、友達の脇腹をつついて注意を引くのと同じ意味だがちょっと変わったやり方と見るのではなく、意義深い社交生活を育もうという努力をだいなしにする毒として扱おう。簡単にいえば、使うのをやめることだ。〝いいね〟をしてはいけない。同時に、ソーシャルメディアの投稿にコメントをつけるのもやめよう。「チョーかわいい！」も「最高！」もなし。沈黙を保とう。

一見無害そうに思えるやりとりに対してここまで厳しい立場を取るわけは、それを続けているとあなたの頭脳は、接続とは会話に代わる適切な選択肢であると学習してしまうからだ。私が提案する会話中心コミュニケーション主義を牽引する前提は、会話と接続は同等であるといったん学習してしまうと、低価値なやりとりがあなたの意思とは関係なく膨張していき、やがて本当に大切な高価値の対話はあなたの生活から追い出されてしまうということだ。しかし、無意味なやりとりを容赦なく排除すれば、あなたの頭脳には明快なメッセージが届く──スクリーン上できらきら光っているものに気を取られて、目の前の現実から注意をそらしてはいけない。少し前にも触れたように、あなたは二種類の交流のバランスをうまく取れるつもりでいるかもしれない。だが現実には、ほとんどの人が失敗する。

ソーシャルメディアでの合図の送り合いを急にやめてしまったら、人間関係に波風が立つのではと心配する人もいるだろう。私からこの戦略を聞かされたある女性は、友達が新しく投稿した赤ちゃんの写真にコメントをつけなかったら、冷たい、横着だと思われるかもしれないと不安げに顔を曇らせた。しかし、友情を大切に思うなら、冷たいと思われるのではという不安を原動力にして、本物の会話をすることに時間を使ってはどうだろう。おざなりなコメントが並んだなかに「かわいい！」と一言加えるより、産後間もないママの家に遊びに行くほうが、あなたにとっても友達にとっても得るものははるかに大きいはずだ。

対面での会話を増やす努力を始めると同時に「最近、ソーシャルメディアはあまりチェックしていなくて」と周囲の全員にあらかじめそれとなく伝えておけば、この主義を採用した場合に向けられかねない不満から効果的に身を守ることができる。前の段落で例に挙げた女性は、考えたあげく、手料理を持って友人の新米ママを訪ねた。このたった一つの行動が友情を深め、ソーシャルメディア上で一言コメントを一〇〇個受け取るよりも幸福度を向上させた。

最後にもう一つ、ソーシャルメディアのアイコンやコメントを交流の手段に使うのをやめると、一部の知り合い、とくにソーシャルメディア上でのみつながっていた人たちは、あなたの人間関係から脱落するだろう。私からの愛をこめた厳しい助言は――去る者は追わないこと。社会的な弱いつながりを多数維持することは有益であるという考え方は、この一〇年ほどのあいだに新しく出現したものにすぎない。ネットワーク科学者の有り余る熱意が、社交の世界に不適切にあふれ出しただけのことだ。有史以来、人類は、豊かで満ち足りた社交生活を維持してきた。高校時代にちょっと知っていただけの相手に毎月、数片の情報を送る能力を必要としたことは一度もなかった。かつての安定した状態に戻ったところで、あなたの人生や生活のなかの何かが目に見えて後退するようなことは起きない。ソーシャルメディアを研究し、教えている学者は私にこう話した。「人はこれほど多くの人々と連絡を取り合うようにはできていないと思う」[33]

ここまでをまとめると、デジタル・ミニマリストはソーシャルメディアをこれまでどおり利用するか否か、利用するとしたらどのような条件を付けるかという問題は複雑であり、数多くのさまざまな要因が関わっている。しかしこの問題に関して最終的にどのような決断を下すにせよ、社交上の長期的な幸福を考えた場合、知り合いの仮想の脇腹をつついて注意を引くためにソーシャルメディアを利用するのはもうやめるというのを基本ルールにするよう勧めたい。簡単にいえば、〝いいね〟はしない。コメントもつけない。この最低限の制限を守るだけで、人間関係は劇的に維持しやすくなるだろう。

演習　テキストメッセージはまとめて処理しよう

社交生活を接続から会話中心に戻そうとすると、一つ厄介な問題が立ちはだかる。SMS、iMessage（アップル製品に搭載されたメッセージアプリ）、フェイスブック・メッセンジャー、ワッツアップ――利用するツールが何であれ、テキストメッセージによるコミュニケーションが友情の定義そのものまで変えようとしていることだ。スマートフォンが世に登場したときからずっと携帯電話の使用について研究してきたシェリー・タークルは、これについて次のように述べている。

> スマートフォンは、友情に緊張をはらんだ義務感を持ちこんだ……友情とは〝呼べばいつでも応じる〟こと――スマートフォンにかじりついていて、ネット越しに話しかければいつでも聞いてくれるのが友達なのだ。[34]

一つ前の演習では、ソーシャルメディアの〝いいね〟やコメントを通して友人と交流するのはやめようと勧めた。もしかしたら顰蹙《ひんしゅく》を買うこともあるかもしれないが、肩をすくめて謝罪の意を表明し、低価値のクリックを高価値の会話に粛々と置き換えていけば、やがて受け入れてもらえるだろう。しかし、テキストメッセージの世界から距離を置くのは、さすがに混乱の元になるという人も少なくない。フェイスブックの〝いいね〟がなくても友情は成り立つが、一定の年齢より下の人々の友人関係にテキストメッセージは不可欠のようだ。テキストメッセージをやめ、〝呼べばいつでも応じる〟義務から逃げるのは、友人の地位を放棄するのに等しい。

この状況はジレンマを生む。この章の始めのほうで、テキストメッセージは薄っぺらなものであり、本物の会話を求める私たちの脳の欲求を満たすことはできないと述べた。しかも、テキストメッセージを使えば使うほど本物の会話への欲求は弱まり、困ったことに、現に顔を合わせて会話をしているときも携帯電話で進行中のほかのやりとりを絶えずチェックせずにはいられなくなって、せっかくの会話の価値を低下させてしまう。こうなると、人間関係の維持に必要とされながら、人間関係から得られるはずの価値を減少させてしまうテクノロジーだけが手もとに残ることになる。この危険を深く懸念する立場から、〝呼べばいつでも応じる〟義務と、本物の会話を求める人間の渇望を両立させる妥協案を提示したい。テキストメッセージはまとめて処理しよう。

この演習では、携帯電話を原則として〝おやすみモード〟にしておくことを提案する。iPhoneでもアンドロイド携帯でも、このモードをオンにすると、テキストメッセージの着信通知はすべてオフになる。緊急事態が不安なら、特定の人（たとえば配偶者や子供の学校）からの着信だけを通知するよう設定を変えればいい。あらかじめ登録した時間帯だけおやすみモードに自動で切り替わるように設定することもできる。

このモードを使うと、テキストメッセージは電子メールと似たようなものになる。新規のメールの有無を確かめるには、携帯電話のロックを解除してアプリを起動するわけだ。テキストメッセージを送受信する時間をスケジュールしておくといい——前回チェックしたあとに届いたメッセージをまとめてチェックし、必要なら返信し、場合によっては短時間だけメッセージをやりとりしたあと、用事があるからと謝って切り上げたら、またおやすみモードに設定して、仕事なり勉強なりに戻る。

この演習には二つ、大きな目的がある。一つは、テキストメッセージを送受信していない時間をより充実させることだ。いつでもすぐに対応しなくてはならない継続中の会話としてテキストメッセージを考えるのをやめれば、目の前の活動に完全に集中するのが容易になる。集中すれば、リアルな世界での対話から得られる価値は増すだろう。不安を軽減する効果も期待できるかもしれない。私たちの脳は、途切れとぎれに交流に対応するように作られていないからだ（これについては、孤独の重要性を論じた前章を参照のこと）。

もう一つの目的は、人間関係の質を向上させることだ。あなたにテキストメッセージを送ればいつでもとりとめのない会話もどきのやりとりができるとなると、友人や家族との関係は惰性的になる。そういったやりとりは、（実際にはその基準に遠く満たないものであるのに）親密な関係を築けているという錯覚を与え、もっと時間をかけて関係をいっそう深めようという意欲を妨げる。

しかし、テキストメッセージはときどきしかチェックしないことにすれば、状況に変化が訪れる。たとえばあなたに何か確認したいことがあるとき、友人や家族はテキストメッセージを送っておけば、常識的な時間内に返事が返ってくると期待できる。テキストメッセージを見てほしいと、何らかのリマインダーを送ることもできる。こういった即時性の低い事務的なやりとりなら、本物の会話をしているような錯覚は起こしにくい。その結果、あなたも、友人や家族も、より質の高い交流で空白を埋めたいと考えるだろう。なぜなら、リアルタイムのやりとりがないと、人間関係に危うさが漂い始めるからだ。

つまり、テキストメッセージでは連絡がつきにくいようにすると、あなたが大切にしている人たちとの距離が（やや）遠くなるために、その人たちとの関係はかえって強靱なものになるのだ。これはきわめて重要なポイントだ。というのも、つながりを薄くしてしまうと人間関係まで薄くなってしまうのではと不安がる人が多いからだ。しかし安心してほしい。あなたが心の底から大切にしている人との関係は、弱まるどころか強靱になる。彼らにとってあなたは、日常的に会話らしい会話ができる唯一の相手になり、彼らとの関係は、〝！〟や絵文字をいくつ並べようと手に入らない、深くてニュアンスに満ちたものになっていくはずだ。

とはいえ、テキストメッセージをまとめて処理するようになると、トラブルが発生するおそれがないわけではない。いつでもあなたの注意を独占できる状態に周囲が慣れきっている場合、あなたが急に消えてしまったことに当惑する人も出てくるだろう。しかしこの心配は簡単に解決できる。近しい人たちに、テキストメッセージは一日に数度しかチェックしないことを先に伝えておこう。そして、用があればテキストメッセージを送っておいてくれれば数時間のうちに返事をするし、もし急ぎの用件であればいつでも電話してくれてかまわないと言い添えよう（おやすみモードの設定を確認して、お気に入りの人たちからの電話は通知されるようにしておくこと）。こうしておけば、あなたに連絡がつきにくくなって不安がるのは当然だとしても、それを和らげることができるし、いつでもどこでもテキストメッセージに対応しなくてはならない重圧からあなたも解放される。

終わりにもう一言付け加えると、テキストメッセージはすばらしい技術革新であり、生活のさまざまな面を著しく便利にしたという明白な主張には素直に同意しよう。このテクノロジーが問題になるのは、使う側が本物の会話を代替するのにふさわしい手段として扱った場合なのだ。携帯電話を原則としておやすみモードに設定しておき、テキストメッセージは、バックグラウンドで果てしなく続いているおしゃべりではなく、一日に何度かチェックするだけのものと割り切れば、このテクノロジーの有害な影響は回避しつつ、主立った利点はこれまでどおり活かすことができる。

演習 営業時間を設けよう

一世紀以上前から、電話は遠く離れた人同士が質の高い会話をする手段を提供してきた。そのすばらしい功績は、もはや人が緊密な部族で一生を過ごさなくなった時代に社会的な渇望を満たす一助となった。電話の難点は、いうまでもなく、電話をかける行為の不便さだ。いまから邪魔をしておしゃべりに誘う相手の姿が見えないため、その誘いが歓迎されるかどうかあらかじめ知ることができない。子供のころ、友達の家に電話をかけたときのあの不安な気持ちを、私はいまも鮮明に覚えている。友達の家族の誰が電話を取るかわからないし、邪魔をしてどう思われるかも予想できなかった。電話が持つこの短所を考えると、もっと楽なコミュニケーション・テクノロジー──テキストメッセージや電子メール──が登場したとき、時の試練を経て有効性がすでに立証された会話の手段を誰もがあっさり捨て、質の低い接続に乗り換えようとしているように見えたが、その気持ちはわからないでもない（シェリー・タークルはこれを「音声通話恐怖症」と呼ぶ[35]）。

幸いにも、そういった不便を回避しつつ、電話での濃密な会話を日常的に楽しむのを容易にする簡単な戦略がある。私はこれをシリコンヴァレーのテクノロジー企業幹部から教わった。彼は友人や家族と質の高い交流を維持するための革新的な戦略を生み出した──平日の午後五時三〇分ならいつでも電話で話せると周囲に伝えているのだ。電話で話そうと事前に約束しておく必要も、いついつ電話をかけると前もって彼に知らせておく必要もない。その時間に電話をかけるだけだ。よく聞いてみると、平日の午後五時三〇分は、ベイエリアの自宅に向けて車で帰ろうとして、かならず大渋滞にはまる時間帯なのだそうだ。それであるとき、車に閉じこめられているだけのこの時間を活用しようと、五時三〇分ルールを編み出した。

このシステムの運用は単純そのものであり、おかげで彼は、時間のかかる質の低い接続を質の高い会話に簡単に切り替えることができた。やや込み入った質問がメールで届いたら、こう返事をするだけでいい。「ぜひ詳しく聞きたいな。五時三〇分に電話をもらえないか。何曜日でもかまわないよ」同様に、何年か前、私にサンフランシスコに行く用事ができて彼と会う約束を取りつけようとしたときも、何曜でもいいから五時三〇分に電話してくれ、食事の計画を打ち合わせようと返事が来た。しばらく連絡を取り合っていない相手と話がしたくなると、彼は簡単なメールを送る。「最近、どうしてる？　ぜひ知りたいから、五時三〇分に電話をもらえないか。何曜日でもいい」想像するに、親しい友人や家族にとって五時三〇分ルールはもう当たり前のものになっているだろう。そしておそらく、交際のあるほかの相手に電話をかける場合と比べ、ふと思い立ったとき彼に電話する行為に抵抗を感じなくなっているだろう。五時三〇分なら彼の時間が確実に空いていて、喜んで電話に出てくれるとわかっているのだから。

この企業幹部は、起業から間もないテクノロジー関連会社で日々重圧に耐えながら長時間働いているにもかかわらず、私が知るほかの人たちよりもはるかに充実した社交生活を楽しんでいる。スケジュールの立て方を工夫し、会話を実現するためのよけいな手間をほぼ完全に排除することで、豊かな交流という人間的な欲求をらくに満たせる環境を作り出したのだ。というわけで、すでに予想がついていることとは思うが、あなたにも彼の手本にならうことを提案したい。

この演習では、前述の企業幹部の例を参考に、あなた流の〝会話の営業時間〟を設定してみよう。特定の曜日の特定の時間を決め、その時間帯はかならずスケジュールを空けて会話ができるようにする。その時間帯にどこにいるかによって、電話での会話に限定してもいいし、対面での会話にも応じることにしてもいい。営業時間を決めたら、大切な人たちに知らせよう。誰かが質の低い接続を始めようとしたら（テキストメッセージでの会話やバーチャルな脇腹のつつき合い）、あなたの営業時間中で、彼らの都合のよいときに電話か対面で話そうと提案しよう。同じように、営業時間が設定できたら、大切な人たちに自分から積極的に声をかけ、自分の営業時間中に彼らの手が空くことがあれば、ぜひ会話をしようと誘ってみよう。

私たちはこの演習のさまざまなバリエーションの成功例を知っている。先ほど紹介した企業幹部のように通勤時間がほぼ決まっているなら、その時間を電話に充てるのもいい。一日のなかで無駄に費やされがちな時間を意義深い時間に変えられるのだから、一石二鳥だ。カフェを利用する成功例も多い。このバリエーションでは、毎週、特定の時間帯に、新聞やおもしろい本を抱えてお気に入りのカフェに出向く。ただし新聞や本は、万一に備えてのもの。その時間帯にはいつもそこにいることを知り合いに伝えたら、あとはお馴染みの顔が入れ代わり立ち代わりそのカフェに立ち寄るようになることを期待しよう。この戦略を私が初めて目にしたのは、子供のころ住んでいた町のカフェでのことだった。土曜日の朝、中高年の男性たちがテーブルに陣取り、そのまま夕方まで、店にやってくる友達を次々と会話の輪に引きこんでいたのだ。これと似たイギリス式の戦略を拝借して、週に一度、お気に入りのバーのハッピーアワーを自分の営業時間とするのもよさそうだ。

日課の散歩をこの目的に利用している人もたくさんいる。スティーブ・ジョブズがシリコンヴァレーの自宅近くの並木道を長々と散歩していたことは有名だ。もしあなたが彼のとりわけ親しい友人だったなら、ジョブズに散歩に誘われ、並んで歩きながら会話に熱中することもあったに違いない。世間の予想に反し、iPhoneの創案者であるジョブズは、仮想の脇腹のつつき合いで大切な人間関係を維持しようとするタイプの人物ではなかった。

大学で教えている私は、現実の〝営業時間〟を、それにとどまらない時間に変えることに成功した。大学では、週に一度、研究室を開放して、担当する学生の質問に答える時間を設ける決まりになっている。ジョージタウン大学で教えるようになってすぐのころ、この質問の時間はそのとき教えている学生との交流を超えた価値を持っていることに気づいた。そこで、研究室を開放する時間を延長し、ジョージタウン大学の学生なら誰でも来てくれてかまわないと宣言した。学生からの質問メール、アドバイスを求めるメール、私が執筆中の本に自分の経験談を提供したいというメールを受け取ったら、営業時間を伝えて「いつでも顔を出してくれ。電話をくれてもいい」と返信する。すると学生は本当にオフィスに立ち寄ったり電話をかけたりしてくれる。その結果、自分が教えている大学の学生全体との関係をいっそう深めることができた。以前のように、質問などを受け取るたびに個別にスケジュールを取って対応する方式を続けていたら、こうはいかなかっただろう。

〝会話の営業時間〟戦略は、社交生活の質を向上させるのに役立つ。有意義な社交を妨げるもっとも大きな要因――前述したような、いきなり電話をかけたら迷惑なのではないかという不安――を排除できるからだ。人は本物の会話を渇望する。しかしこの不安があるがために、本物の会話を避けがちになる。会話の営業時間を設けることによって、この不安を取り除いてみよう。いつもどおりの一週間に、どれだけの実のある交流が可能になるかを知って、きっと驚くことになるはずだ。

6　趣味を取り戻そう

余暇と人生の充実

紀元前四世紀に編纂《へんさん》された『ニコマコス倫理学』で、アリストテレスは、当時もいまも喫緊《きっきん》の問題——「正しい生き方とは何か」——に取り組んだ。『倫理学』では、その答えが十巻に分けて述べられている。第九巻までは、アリストテレス呼ぶところの「実践における徳」、たとえば自己の責務を全うする、不公平に直面したら公平にふるまい、危険に直面したら勇敢にふるまうといったことに焦点を当てている。しかし『ニコマコス倫理学』第一〇巻では、そこまで歯を食いしばって説いていた英雄らしい徳をふいに離れ、議論は急展開を見せる——「もっとも善く、もっとも美しい人生は、知的な人物のそれである」[1]。そしてこう締めくくる。「それはまた、もっとも幸福な人生となるだろう」

アリストテレスが述べているように、深い思考に満ちた人生が幸福であるのは、観想は

「それ自体が高い価値のある活動であり……そこから得られるものは観想という行為のみである」[2]からだ。このそっけない主張により、アリストテレスは、文字で書かれた哲学の歴史上初めて、二〇〇〇年以上の歳月を越えて現代でも人の本質に対する私たちの理解に影響を及ぼしている考え方を表明したといえそうだ——善い人生には、その行為そのものから生まれる満足感以外に何の利益ももたらさないような活動が必要である。

マサチューセッツ工科大学のキーラン・セティヤは、『ニコマコス倫理学』を現代風に解釈してこう述べている——「その活動が解決すべき問題や困難、必要がなければ価値を持たないような」[3]活動だけで人生が成り立っているとすれば、その人は、〝人生とはこれだけのものなのか〟という避けがたい疑問を前にしたとき湧き上がる実存的絶望に対して無力だろう。そしてこの絶望の解決法の一つは、アリストテレスを手本として、「内なる喜びの源」[4]となるような楽しみを持つことと付け加えている。

この章では、そのような喜びに満ちた活動を〝質の高い余暇活動〟と呼んでいる。すばらしい人生には質の高い余暇活動が不可欠であること——二〇〇〇年以上も前から唱えられてきた概念——をここで改めて持ち出す理由は、現代のデジタル世界にあふれる問題の悪影響から逃れるためには、この古来の知恵の核心をなす洞察を理解し、実践することがどうしても必要だからだ。

質の高い余暇活動とデジタル・ミニマリズムはつながっていると私が主張する背景を説明する前に、関係のある現象を指摘しておくと、より理解しやすくなるだろう。テクノロジーと文化の交わりを研究している者は誰しも、小さいが人気のあるサブジャンルの記事――ジャーナリストが現代のテクノロジーから一時的に距離を置いて過ごした経験を書き綴るという趣向のもの――にひととおり目を通している。彼ら怖いもの知らずたちは、接続を断ったことによって精神的な苦痛を感じたと報告する。たとえば次に挙げるのは、社会批評家マイケル・ハリスが、インターネットも携帯電話も使えない田舎のキャビンで一週間過ごした経験を書いたものだ。

二日目が終わるころには……あらゆるものが恋しくなっていた。ベッドが恋しかったし、テレビもケニーも、大親友のグーグルも恋しかった。絶望の思いで海を、ちらちらと光を放ちながら揺れる液体金属をぼんやりと一時間ほど眺めた。一〇分ごとにチャンネルを変えたい衝動に駆られた。しかし何分たっても同じ水が揺れているだけだった。まるで永遠のさだめのようだった。拷問だ。[5]

この苦しさはしばしば依存症関連の用語を使って語られ、依存症患者が経験する禁断症状と通じるものがある（「一筋縄ではいかないだろう、禁断症状に襲われるだろうと思っていた」[6]ハリスはキャビンでの経験をそう書いている）。しかし、この解釈には疑問の余地がある。この本のパート1で述べたように、私たちが四六時中テクノロジーにかじりつく心理的な力は、一般的には軽度の行為依存と理解される状態だ。テクノロジーが手もとにあれば使わずにいられないとしても、薬物依存ほど重度ではない。それをふまえると、薬物の常用者が典型的な禁断症状として味わう強烈で具体的な渇望と比べたら、この苦痛は弱くて抽象的といわれることにも納得がいく。

ハリスの場合、特定のオンライン活動を本気で恋しがったわけではなく（この点で、タバコを取り上げられたスモーカーとは違う）、ネットに接続する手段がないという漠然としたことがらを不快に感じした。これは微妙な違いかもしれないが、アリストテレスとデジタル・ミニマリズムの確かなつながりを理解するためには重要な違いだ。このトピックについて調べれば調べるほど、私の目には、質の低いデジタルな娯楽は、人々が想像している以上の大きな影響を及ぼしていることがよりいっそう明らかになった。近年、仕事と私生活の境界線が曖昧になり、仕事の負荷が増し、コミュニティの伝統が薄れていくにつれ、人々は、アリストテレスが人の幸福に不可欠とした質の高い余暇活動に没頭するゆとりを失っている。この空白は、直視すれば忍びがたいものではあるが、しかし、デジタルな騒音に乗じて見て見ぬふりもできてしまう。仕事と、家族の世話と、睡眠のあいだの隙間時間にもスマートフォンやタブレットを取り出し、意味もなくスワイプしたりタップしたりしていれば簡単に埋まる。現実とのあいだに障壁を立てる行為は決して新しいものではない——YouTubeの登場前には（そしていまも）、ぼんやりテレビを眺めたり、本質的な問いから目を背けるために深酒したりした——が、二一世紀の注意経済《アテンション・エコノミー》の高度なテクノロジーは、これに関してとりわけ優れた力を発揮する。

つまりハリスが不快感を味わったのは、特定のデジタル習慣に対する飢餓感からではなく、接続されたスクリーンから成る世界にアクセスする手段と切り離され、どうしていいかわからなくなったせいだ。

デジタル・ミニマリズムを取り入れて成功させたいなら、この現実を無視するわけにはいかない。生活のなかに散らかった質の低いデジタルの娯楽を先に片づけ、それからそういった娯楽が埋めていた空白を埋めようとすると、その努力は不必要に困難なものになるだろう。下手をすると、みじめな大失敗に終わりかねない。一方、好結果を手にしたデジタル・ミニマリストには、余暇の過ごし方を改革するところから始めた人が多い。とりわけ有害なデジタル習慣を淘汰する前に、質の高い余暇活動を生活に取り入れているのだ。それどころか、大半のデジタル・ミニマリストは、時間の使い方を意識するようになったとたん、それまでは不可欠の日課と信じていたデジタル習慣が急につまらないものに思えるようになったと話す。空白が埋まれば、空白を避けるために注意をそらす必要はなくなる。

こういった体験談を元に、この章は、質の高い余暇活動を身につけることを目標に設定している。続く三つのセクションでさまざまな例を挙げながら、もっとも実りの多い余暇活動に共通する特質を学んでいこう。そのあと、そういった活動における新しいテクノロジーの逆説的な役割について議論し、最後に質の高い余暇活動を始めるために役立つ具体的な戦略を紹介する。

ベネットの法則

質の高い余暇活動について知識を深めるには、いわゆるFIコミュニティをのぞいてみるところから始めるといいだろう。初めて聞いたという人のために簡単に説明すると、F

Iとは経済的自立《ファイナンシャルインディペンデンス》の略で、資産から得られる収入だけで生活費をカバーできるような経済状況を指す。退職する年齢までに到達しておきたい目標であるとか、あるいは多額の遺産が入れば到達できるものと考えている人が多いが、近年、インターネットの普及によりFIムーブメントが再燃した結果、若年層を中心に、極端な倹約生活を維持することでこの経済的な自由への近道を探る人々が増えている。

現在のFI2・0ムーブメントが注目される最大のポイントは、その土台となる経済的な概念だが、本書の目的にはあまり関係がない。ここで関係があるのは、経済的自立を達成した若い世代は、質の高い余暇活動とは何かを考える際にとりわけ参考になる事例であることだ。そう主張するには二つの理由がある。第一に、改めて指摘するまでもないことだろうが、経済的自立を達成すると、平均的な人に比べて余暇の時間が圧倒的に増える。第二に、若いうちから経済的自立を目指そうとすると、多くの場合、ライフスタイルをかなり極端に変える必要があるため、人を選ぶということ――つまり、もともと人生をどう生きるかについて、もとよりきわめて意識の高い人しかこれに挑まないということだ。有り余る余暇と意識的な生き方という二つの条件を満たしている彼らは、有益な余暇活動について考えるとき、理想的なモデルとなる。

というわけで、FI2・0ムーブメントの事実上のリーダーである人物の習慣を詳しく検討するところから調査を始めるとしよう。元エンジニアのピート・アデニーは、三十代初めに経済的自立を達成し、いまはあえて自嘲するようなニックネーム〝ミスター・マネー・マスタシュ（金ヒゲ）〟と同名のブログで、自分の生活ぶりを公開している。経済的自立を達成したあとも、彼は若い男性のリラックスした余暇と聞いて一般的に想像されるような活動で空白の時間を埋めようとはしなかった。ゲーム、スポーツ観戦、ウェブサーフィン、バーに入り浸る——そういったことをする代わりに、自由な立場を利用してもっとアクティブに過ごすようになったのだ。

ピートはテレビを持っていないし、ネットフリックスやフールーなどの映像ストリーミングサービスにも加入していない。たまにＧｏｏｇｌｅ Ｐｌａｙで映画をレンタルして鑑賞することはあっても、彼の家族が娯楽のためにスクリーンを使うことは基本的にはない。大部分の時間を何らかのプロジェクトに注いでいる。可能なかぎりアウトドアで過ごす。余暇の過ごし方について、ピートはブログで次のように説明している。

他人がスポーツをやるところを眺める楽しさは理解できないし、観光スポットはもとから大嫌いだ。ものすごく大きな砂の城を作る必要に迫られたというのでもないかぎり、ビーチでくつろぐ習慣もない。セレブリティや政治家が何をしていようと、僕の知ったことじゃない……そういったことよりも、手を動かして何か作るほうが僕としてはずっと楽しい。いや、問題を解決して改善するのが楽しくてしかたがないというべきかもしれないな。[7]

近年、ピートは家族で暮らす自宅を改築し、庭に離れ家を建ててオフィス兼音楽スタジ

＊無関係とはいえ、それでもやはり知りたいという読者のために説明すると、FI2・0ムーブメントの柱となる概念とは、生活費を極端に抑えることによって二つの利点が得られるということだ。(1)はるかに速いペースで貯金ができる（一般的には収入の五〇から七〇パーセントを貯蓄に回す）。(2)必要な生活費が少なくなるため、経済的自立を達成するのに必要な貯蓄額も少なくなる。たとえば、快適に生活するのに手取額で年間三万ドル必要なら、低コスト・インデックスファンドで七五万ドルの資産があれば、（インフレ調整後）数十年分の生活費をカバーできる。世帯の手取り年収が一〇万ドルの若いカップルを例として考えてみよう。三万ドルあれば生活していけるから、毎年七万ドルを貯蓄に回せる。年間成長率を五から六パーセントと仮定すると、八年から九年で目標額を達成できる。二十代から始めれば、三十代後半には経済的自立を達成できる計算になるわけだ。当然のことながら、FI2・0に関する文献の大部分は、こういった倹約は一般に想像されるほど極端なものではないという論調になっている。

オとした。この二つのプロジェクトが完了したあと、まだまだ穴を開け足りず、壁を立て足りなかったピートは、今度は地元であるコロラド州ロングモントのメインストリートに面した荒れた商業ビルを衝動的に購入した。現在はこのビルをミスター・マネー・マスタシュ世界本部[8]とすべく改装中だ。完成した暁にそこで何をするのかはまだはっきり決まっていない。だが、最終的な目標は問題ではない。ピートがそのビルに投資したのは、主として改装プロジェクトのためだ。本人によれば、彼の余暇に関する哲学はこうだ――「丸一日、誰にも邪魔されずに一人で過ごすことになったら……大工仕事をして、ウェイトトレーニングをして、執筆に取り組み、音楽スタジオでいろんな楽器を試し、リストを作ってそこから一つずつ実行したりして過ごすだろう」[9]

リズ・テームズもやはり活動的に過ごすべしという主義の持ち主だ。リズも三十代初めに経済的自立を達成し、フルーガルウッズ（質素な木々）と題された人気のウェブサイトでブログを書いている。ＦＩを達成したあと、リズと夫のネイトは、活動的な生活の楽しみを新たな段階へ引き上げた――にぎやかなマサチューセッツ州ケンブリッジの自宅を離れ、ヴァージニア州の人里離れた地域にある小さな山の麓に面積およそ二六万平方メートルの農場を購入して移り住んだ。

この移住についてリズに尋ねたところ、広大な農場での生活は甘いものではないという答えが返ってきた。たとえば長い砂利敷きのドライブウェイは、つねに手入れしておかなくてはならない。倒木があれば、「たとえ気温がマイナス一〇度の日でも[10]」のこぎりで切ってどかさなくてはならない。雪が降っていれば、まめに雪かきをしていないと、積雪が深くなりすぎてトラクターでも押せなくなり、二人とも敷地から一歩も出られなくなる。これは理想的とはいえない状況だ。というのも、一番近い隣家まで徒歩で行けば長い道のりだし、付近には携帯電話の電波が届いていないため、助けを呼ぼうにも隣家に電話をかけることさえできない。

リズとネイトが住む家の暖房は、敷地内で採取した薪《まき》が頼りだ。薪を集めるにもかなりの労力がいる。「夏じゅう薪を集めています」リズは言う。「森に入って、木を選んで倒し、丸太にして家に持ち帰り、薪を割って積んでおきます。冬のあいだはずっと、薪ストーブを抜かりなく見ていなくてはなりません」さらに、家の周囲が草ぼうぼうのまま過ごしたくなければ「草も刈らなくては……それもしょっちゅう」。

■■■

ピートとリズの経験談は、もしかしたら意外なものと聞こえるかもしれない。ＦＩコミュニティの人々は、有り余るほどの余暇を手にしたとき、その空白の時間を体を使う重労働に費やしている。余暇と聞いて一般的に思い浮かべることがらではなく、体を使うことに注力する傾向は、必要もないのになぜそんな苦労をと考える向きもあるだろうが、ピートとリズにいわせれば当然のことだ。

ピートは、活動的な暮らしを続ける正当な理由を三つ挙げる――経済的な負担が少なく、エクササイズになり、心の健康にもよい（「僕の場合は、じっとしていると退屈で鬱になりそうだ」[11]という）。リズも、重労働の田舎暮らしを選んだ理由について、似たような説明をした。そういった重労働を別の名前で呼び――「高潔な趣味」――一見、仕事と似ていなくもない活動に、実はいくつもの利点があると話す。

たとえば、敷地が樹木に覆われているため、つねに通り道を確保しておかなくてはならないが、リズによると――「ここは私たちの敷地で、私たちはそこを自由に歩き回りたい。そのためには道を確保しておかなくてはならず、そのためにはチェーンソーを持って森に入り、木を切り倒したり、草むらを払ったりしなくてはなりません」。これでは働いているも同然に聞こえるかもしれないが、いくつかの異なった価値を生む。リズの説明では――「精神の解放につながります。コンピューターの前に座ってする仕事とはまったく違いますから……問題を解決しなければならないことは同じだけれど、方法はまったく違うんです」。さらに、うってつけのエクササイズにもなり、しかも新しいスキルを身につける必要もある。「チェーンソーの使い方を学ぶのは、簡単なことではありません」リズはそう言う。そしてもう一つ、木や草を払って完成した道を実際に歩くという楽しみがある。リズの言うように、道の木や草を払うという一見退屈な仕事が、ツイッターをぼんやり眺めるよりもはるかに報いのある行為に思えてくる。

もちろん、活動的な余暇が持つ価値に最初に気づいたのはFIコミュニティではない。セオドア・ルーズベルトは、一八九九年春、シカゴのハミルトン・クラブでのスピーチで次のように語った。「恥ずべき安楽なそれではなく、奮闘する生活方式を提唱したい」[12]ルーズベルトは、提唱したとおりのことを実行した。大統領になってからもボクシングの練習を欠かさず(強打を食らって左目の網膜が剥離してやめた)、柔術を習い、全裸でポトマック川を泳ぎ、一日一冊のペースで本を読んだ。じっと座ってくつろぐタイプの人物ではなかった。

一〇年後、作家のアーノルド・ベネットは短いが有名な自己啓発書『時を活かす』で、余暇を活動的に過ごすよう提案している。この本のなかでベネットは、ロンドンの中産階級のホワイトカラー労働者は、平均して一日八時間勤務していることを考えると、働いていない貴族と同じように高潔な活動にいそしむ余暇が一六時間あるはずだと指摘した。この一六時間のうち、眠っている時間以外を人生を豊かにし、自己を磨くための余暇活動に充てるべきであるのに、ほとんどの労働者はタバコを吸ったり、ぶらぶらしたり、ピアノをなでたり（なでるだけで弾かない）、「本当にうまいウィスキーを知る」[13]人間になるための努力を始めてみたりといった、浮ついた単なる暇つぶしに時間を浪費していると嘆いた。そういった無意味な暇つぶし（現代の〝iPadで息抜き〟のヴィクトリア朝時代版）で夜が更けると、あとはもう疲れきってベッドにもぐりこむだけで、せっかく与えられた余暇は「いつのまにか魔法のようにどこかに消えてしまう」[14]。

ベネットは、余暇は時間と労力を要する高潔な活動に使うべきだと主張する。二〇世紀初頭のイギリス紳士であるベネットが提案したのは、難解な文学を読んだり、厳しい内省をしたりといった活動だった。なかでも象徴的な一節で、ベネットは「決して知的労働を要求しない」[15]小説を否定している。ベネットの提案では、よい余暇活動とは、楽しむのにより多くの「知的労働」[16]を要求するものだとされている（ベネットは難解な詩を推奨している）。また、そういった余暇の一部を育児や家事に取られる可能性は無視する。これは男性の読者だけを想定して書いているからで、ベネットが生きた二〇世紀初めのイギリス中産階級の世界では、いうまでもなく、男性が育児や家事を要求されることは決してなかった。

要するに、二一世紀に生きる私たちが余暇活動を考える際、ベネットが具体例として挙げた活動にこだわることはない。それよりも興味深いのは、ベネットの主張にこめられたいつの世にも通じるメッセージだ。そこで彼は、自分が勧める精神を高めるための活動は、余暇と呼ぶには負荷が高すぎるのではないかという反論を予期してこう書いている。

何だって？　余暇の一六時間に全力を注いだら、仕事をする八時間の価値が低下するだろうというのか？　そんなことはない。低下するどころか、その八時間の価値は間違いなく向上する。例に挙げた典型的な労働者が学ぶべきことは、知的な能力は絶えず酷使されても耐えられるということだ。腕や脚と違い、知的能力が疲れるということはない。必要なのは変化だけだ――睡眠以外の休息はいらない。[17]

この主張は私たちの直感に反している。ベネットは、余暇活動にエネルギーを注げば、エネルギーはかえって高まるだろうといっているのだから。起業家がよく口にする「金は使わなければ儲からない」を人のエネルギーに当てはめたような話だ。

この〝ベネットの法則〟とでも呼ぶべき考え方は、このセクションで見てきた活動的な余暇の過ごし方に説得力のある根拠を与える。ピート・アデニー、リズ・テームズ、セオドア・ルーズベルトはいずれも負荷の高い余暇を生活の一部とした具体例だが、三人とも、娯楽から受け取る利益はそれに注いだ労力に比例するという一般的な法則に従っている。

私たちは、職場で忙しい一日を過ごしたあと、夜にはもう何一つ予定がなく、力を注がなくてはならないこともないということほどありがたい褒美はないと自分に言い聞かせるかもしれない。しかし、何時間かぼんやりとテレビを眺めたり、スクリーンをタップして過ごすと、なぜかかえって疲れたような気がするものだ。ベネットならこう言うだろう。そしてピートやリズ、テディ・ルーズベルトも同意するだろう。奮起して同じ時間を〝現に何かする〟ことに注げば——たとえそれが体力的にはきついことであっても——爽快な気分でベッドに入れるだろうと。

ここまで紹介したさまざまな議論をまとめると、質の高い余暇活動を取り入れることについての最初の教訓は次のようになる。

余暇活動の教訓1：受け身の消費よりも体を動かす活動を優先しよう。

手仕事と充実した時間について

質の高い余暇活動について語るなら、手先の技術を活かした活動というトピックをはずすわけにはいかないだろう。ここでいう〝手先の技術を活かした活動〟とは、スキルを活かして価値のあるものを生み出す〝手仕事〟的な活動全般を指す。木の板から美しいテーブルを造るのは手仕事だし、毛糸でセーターを編むのも、工務店の手を借りずにバスルームを改装するのもやはり手仕事だ。何も新たな物体を造り上げることにこだわる必要はない。質の高い行為もりっぱな手仕事のうちだ。ギターをかき鳴らして楽しい歌を歌うのもそうだし、仲間を集めてバスケットボールに興じるのもそうだ。手仕事の定義は、デジタルの世界にも当てはまる。たとえばプログラムを書く、ゲームをプレイするといったことにもスキルは必要だ。しかし、この最後のカテゴリーにはとりあえず〝要検討〟という注釈をつけておこう――のちほどこの話題に戻って詳述することとする。

私の主張の核は、手仕事は質の高い余暇活動にうってつけであるということだ。幸いにも、手仕事の価値を裏づける論文や物語が星の数ほどあって、この主張を支えている――一九世紀の評論家ジョン・ラスキンや美術工芸《アーツ・アンド・クラフツ》運動から始まり、現代の職人のコミュニティに受け継がれて、このテーマに関する数千の書物や論文が書かれてきた。私たちの間口のせまい目的を考えると、スタート地点としてふさわしいのは、オレゴン州ポートランドを拠点とする家具職人、ゲイリー・ロゴウスキーだ。二〇一七年、ロゴウスキーは『*Handmade*（ハンドメイド）』というタイトルの本を出版した。職人の回想録半分、家具作りそのものの哲学的思索が半分といった内容の本だ。『ハンドメイド』がここでの議論にとくに重要だと思えるのは、ロゴウスキーは、私たちの生活のあまりにも多くの時間を独占している、スキルの入りこむ余地のほとんどないデジタルな行動と対比しながら手仕事の価値を考察しているからだ。そのことは本の副題にも表われている――「注意散漫の時代に、集中してものを創るということ」。

　ロゴウスキーの本には、スクリーンの存在感がますます大きくなりつつある世界での手仕事の価値を擁護する主張がいくつか並んでいるが、ここではそのうちの一つを取り上げたい。「人は道具を使って何か造りたいという欲求を持っている。そうすることで初めて自分が完全になったと実感できる」[18]彼の説明によれば、「人は手を使って考えることを遠い昔に学んだ。その反対ではない」[19]つまり、人類は進化の過程で、周囲の世界を体験しながら造り替えることを学んだのだ。私たちはほかのどんな動物の何倍もそれに長けている。私たちの脳がその能力を支えるために複雑な構造に進化したことを見ても、それは事実だとわかる。

　しかし現在、その回路のスイッチをオフにするのはかつてないほど容易になった。「多くの人は、主にスクリーンを介して世界を体験する」とロゴウスキーは書く。「いま私たちが暮らす世界は、五感のうち触覚を排除しようとしている。スクリーンをつくるという使い道を残して、手の用途は減る一方だ」その結果、能力と経験の関係にアンバランスが生じた。スクリーンに映し出されるバーチャルな世界を離れ、私たちを取り巻く物質的な世界でより複雑なものごとをなすために手を使うことこそ、本来与えられた能力に忠実な生き方だ。手仕事は私たちを人間らしくする。そこから、自分の手で実際にモノに触れるのではない活動からはまず得られない深い充実感を得ることができる。[20]

哲学者でメカニックでもあるマシュー・クロフォードも、手仕事ベースの余暇活動の価値を考えるとき知恵を拝借したい一人だ。シカゴ大学で政治哲学の博士号を取得したあと、クロフォードはワシントンDCでシンクタンクを運営するという典型的な知識労働の職種に就いた。しかし、予想外に現実離れして漠然とした仕事にほどなく幻滅し、思い切った転職を図った――シンクタンクを辞めて、バイク修理ビジネスを始めたのだ。現在はヴァージニア州リッチモンドの工場でカスタムバイクの製作を請け負いつつ、現代世界における意味や価値について哲学書を書いている。

仮想空間と物理空間の両方で働いた経験を持つユニークな視点から、クロフォードは後者から得られる無二の充足感についてとりわけ雄弁に書く。

それによって彼は、言葉を連ねた解釈を提示して自分の価値を証明したいという欲求から解放されたかのようだった。いまは黙って指を指せばいいのだ。完成した建物、ふたたび走るようになった車、明るく光る照明器具。自慢は子供のすること、世界に何ら変化も及ぼさない者のすることだ。しかし職人は、現実から容赦のない評価を下されることを覚悟しなくてはならない。そこでは失敗や短所が看過されることはない。[21]

スクリーンが手仕事を駆逐する文化では、スキルを具体的に証明することで確立される自尊心を示す場が失われるとクロフォードは言う。近年、ソーシャルメディア・プラットフォームが爆発的な人気を集めているのは、自分の価値を示す代替手段となっているからだという解釈も成り立つ。頑丈な木のベンチを見せて、あるいは楽器を演奏して喝采を浴びることで自分の価値を示せないなら、つい最近行ったおしゃれなレストランの写真を投稿して〝いいね〟を期待したり、気の利いた一言がリツイートされているかどうか必死にチェックするのも一つの手だ。しかし、クロフォードが示唆するように、デジタルな呼び声を上げて他人の注目を集める行為は、手仕事から生まれる評価の貧弱な代替品にすぎない。それは物質的な現実による〝容赦のない評価〟を味方につけるのに欠かせない、努力の末に勝ち取ったスキルに裏打ちされたものではなく、「子供の自慢」としか受け取られないからだ。手仕事は、そのような薄っぺらさから逃れる道であり、より確かな誇りをもたらす。

　こういった利点を理解したところで、少し前に〝要検討〟とした、純然たるデジタルな活動も手仕事に含められるか否かという問題に戻るとしよう。スキルを必要とするデジタルな行為も充足感を生み出すという主張は当然可能だ。私は前著『大事なことに集中する』（原題 *Deep Work*）のなかで、問題を解決するためにコンピューター・プログラムを書くような深い活動《ディープワーク》（高度なスキルを要求される仕事）は、メールに返信するというような浅い活動《シャローワーク》（さほどのスキルを要求されない仕事）に比べて、より多くの意味を生むと書いた。

　しかし、そうはいうものの、ここで引き合いに出した手仕事の具体的な利点は、いずれも物質的な世界との結びつきに根ざしたものだ。デジタルな創作が達成感や誇りを生み出すことは事実だが、ロゴウスキーにせよ、クロフォードにせよ、スクリーンを介した活動は、リアルな世界で具現化される活動とは根本的に性質が違っていることを示唆している。コンピューターのインターフェースや、進化を続けながらスクリーンの奥で動いている情報処理ソフトウェアは、物質的な世界にあるざらついた手触りや限りない可能性を排除すべく設計されている。先進的な統合開発環境でコンピューターのプログラムを書く行為は、かんなを手にカエデの板に向かう行為と完全に同じとはいえない。前者は、後者にある身体的な体験と無限の選択肢の両方を欠いている。同様に、デジタル・シーケンサーで作曲をするのは、ギターをうまく弾くために不可欠な指とスチール弦との微妙な駆け引きから生まれる喜びを欠いているし、キーボードをせわしなく叩いて戦闘ゲーム「コールオブデューティ」で勝利を目指す行為は、フラッグフットボール（安全のため激しい身体接触を排したルールで行なわれる、アメリカンフットボールに似たスポーツ。タックルの代わりに腰にはさんだ旗やスカーフを奪う）の試合にはある、人とのふれあいや空間、運動といった次元を欠いている。

この章のテーマは余暇活動——すなわち空いた時間に自主的に行なう活動——であることを考え、ここからの議論は、手仕事の厳格な定義に従い、ここまでに取り上げた例で奨励されているようなタイプの活動に限定して進めることとしたい。言い換えれば、空いた時間を使って手仕事のメリットを余さず享受するには、アナログな形式の活動を探すべきであり、その際はロゴウスキーの次のようなアドバイスをよく噛み締めるべきだ。「自分が生きた証しを残そう。よい仕事をしよう」[22] ここから、質の高い余暇活動を取り入れるための二つ目の教訓が導かれる。

余暇活動の教訓2：スキルを活かし、物質的な世界で価値あるものを作り出そう。

アナログの逆襲

質の高い余暇活動に共通するもう一つの特徴は、豊かな人間関係を育む一助となることだ。ジャーナリストのデイヴィッド・サックスは、トロントの自宅近くにスネークス&ラテスという一風変わったカフェがオープンしたとき、この効果を目の当たりにした。このカフェのメニューに酒類はなく、Ｗｉ－Ｆｉ設備もない。料理がとくにうまいわけでもないし、椅子の座り心地は褒められたものではない。しかも入店するだけで五ドル取られる。しかし二〇一六年の著書『アナログの逆襲――「ポストデジタル経済」へ、ビジネスや発想はこう変わる』（インターシフト）で紹介されているように、週末になると、このカフェの一二〇ある席はあっというまに埋まってしまい、空席を待つ人の列が外の歩道にまで伸びるのだという。最長で三時間、待つこともある。

スネークス&ラテスの繁盛の秘訣は、〝ボードゲーム〟ができるカフェであることだ。仲間たちと一緒に店に行き、一つのテーブルを囲んで、カフェの豊富なコレクションのなかから好きなボードゲームを選んで対戦する。ゲーム選びに困ったら、ボードゲーム・ソムリエに相談できる。このカフェの成功は不思議といえば不思議だ。このデジタル時代、アナログのゲームは消えゆく運命にあったはずなのだから。だって、「ワールドオブウォークラフト」のようなマルチプレイヤー・ゲームをプレイすれば写真のごとくリアルなモンスターと闘えるのに、厚紙のボード上のプラスチックの小さな駒をちまちまと動かしたりして、何が楽しい？　しかし、ボードゲームは絶滅しなかった。近所の人たちとスクラブル（アルファベットが書かれたコマを並べて単語を作り、点数を競うゲーム）で対戦したい、あるいは同僚とポーカーをプレイしながらくだらないおしゃべりで盛り上がりたい、あるいは、そう、いかにトロントが寒かろうと、スネークス＆ラテスのテーブルが空くのを列に並んで待ちたいと思う人は増える一方だ。デジタル以前、一九八〇年代に流行したクラシック・ゲーム——モノポリーやスクラブル——はいまも変わらず人気の商品であり続けているし、インターネットは革新的なアナログゲームの開発（キックスターター［アメリカの資金調達プラットフォームの一つ］の一番人気のカテゴリーの一つ）を後押しし、より洗練されたヨーロッパ・スタイルの戦略ゲームのルネッサンス期をお膳立てした。その先駆者となったのはメガヒットを記録した「カタンの開拓者たち」で、一九九〇年代なかばにドイツで発売されて以来、全世界で二二〇〇万セットを売り上げている。[23]

デイヴィッド・サックスは、昨今のボードゲーム人気を支える要因は、プレイすることで他者とのふれあいが生まれることにあるのではないかと指摘する。「ボードゲームは、デジタル世界と離れた独特の社交空間を作る」[24]とサックスは書く。「魅惑的な輝きを放ちながら流れ落ちる情報の滝や、ソーシャルメディア上の人間関係を装ったマーケティングとは対極にある」ほかの人々とテーブルを囲んでゲームをプレイするとき、人は、ゲーム理論家スコット・ニコルソンいうところの「マルチメディアかつ三次元の濃密な交流」[25]に身をさらすことになる。対戦相手の戦略を見抜くヒントを求めてボディランゲージに目を凝らし、相手に自分を重ねて次の動きを予測しようと試みる。サックスの表現を借りるなら「人間のおそろしく複雑な感情に火を付ける信号」[26]を探すのだ。勝利に相好《そうごう》を崩してコマを集めている対戦相手を前にしていると、敗北の痛みはいっそう鋭く胸を刺す。しかし、あくまでもゲームという枠組みのなかでの敗北であるため、その痛みはすぐに和らぎ、生身の人間を相手にした高度な交流を再開するゆとりがふたたび生まれて、張り詰めた気持ちはほぐれていく。人はそのような名人レベルの社交のチェス対戦に耐えられるようにできている。ボードゲームはその能力の限界を試す――とてもスリリングな経験だ。

ボードゲームはまた、〝はめを外した社交〟とでも呼ぶべきものの受け皿にもなる――礼儀を重視する社会で常識とされるレベルを超えた社交が許されるのだ。サックスの著書には、スネークス&ラテスが満員になった夜に見た、活気のある話し声や屈託のない笑い声が描写されている。その一節を読んで私は驚かなかった。数カ月に一度、私を含めた仲のいい〝パパ〟たちが集まって、（へたくそな）ポーカー大会を開いている。それは三時間にわたってジョークを言い、おしゃべりをしてストレスを発散するちょうどいい機会になっている。手持ちのチップがなくなってしまったプレイヤーも、ゲームが終わるまで帰らずにつきあう。ポーカーが目的ではないからだ。スネークス&ラテスで「カタンの開拓者たち」をプレイする目的が架空の道路を建設することではないのと同じだ。

対面でプレイする昔ながらのゲームのそういった利点こそ、きらびやかなビデオゲームや艶《つや》やかなモバイル・エンターテインメントが登場したあともボードゲーム業界が崩壊せずにすんでいる理由だ。サックスはこう書いている。「四角い平らな厚紙の上で人間を相手にプレイするゲームと比べ、ビデオゲームが要求する社交レベルは明らかに低い」[27]

当然のことながら、濃密な社交経験を促す余暇活動はボードゲームだけではない。たとえばフィットネスの世界には、余暇と交流の新たな交差点が出現し始めている。この分野での最大のトレンドの一つといえそうなのが〝ソーシャル・フィットネス〟現象だ。スポーツ業界のあるアナリストの解説によれば、「フィットネスは、スポーツジムで一人黙々と取り組むものから、スタジオやストリートで他者と交流しながらするものへと変化を遂げた」[28]。

アメリカの都市部に住んでいる人なら、公園に集まり、インストラクターが飛ばす大声の指示に合わせてブートキャンプ・スタイルのエクササイズをしているグループを見かけたことがあるのではないだろうか。私が以前よく見かけたのは、ベビーカーを押した産後間もないお母さんたちのグループで、近所のスーパーマーケット近くの芝生で輪になっていた。そこからほんの二ブロックほど先にあるプラネット・フィットネス・クラブに行くよりも、そのグループに参加するほうがいい運動になっていたのかどうかはわからないが、社交体験という意味でははるかに充実していたことは間違いないだろう。同じメンバー、それも自分と似た難題に直面している新米ママ仲間と定期的に顔を合わせていれば、さまざまな交流や励ましが手に入るはずだ。イヤフォンで大音量の音楽を聴きながら蛍光灯で照らされたスポーツジムに通っても、同じものは決して得られない。

人気のあるフィットネス組織の別の例に、F3がある。フィットネス、仲間《フェローシップ》、信頼《フェイス》の三つのFを採った名前だ。F3は男性限定のグループで、有志で運営されているため、参加費などはいっさいかからない。近くのグループに加入するか、自分で新しいグループを創設し、週に二度から三度集まって――天候にかかわらず――屋外でワークアウトをする。ワークアウトのリーダーはグループのメンバーの持ち回りで務める決まりであることを考えると、F3に集まる男性たちは、フィットネスの専門家による指導を期待しているわけではないとわかる。彼らの動機は人との交流だ。このことは、メンバーが（意味ありげにうなずいて）認め合う、傍から見ていると滑稽なくらいあからさまな仲間意識が裏づけている。F3のウェブサイトにはこうある。

FNG［新メンバーのこと］は、典型的なF3ワークアウトで使われる内輪の用語や略語に初めは戸惑うかもしれない。たとえば、FNGって何だ？　どうしてみんな自分のことをそう呼ぶ？

サイトの〝F3辞書〟タブをクリックすると、アルファベットで表わされる略語が一〇〇種類以上並んでいる。[29]しかもその大部分に別の項目を参照せよと書いてあるため、堂々巡りにはまってしまう。たとえば、F3辞書には次のような定義が掲載されている。

ボビー・クレミンズ（用例・ボビー・クレミンズをかます）——一つのワークアウトをポストした人物がスターテックスのあと別のAOに行くために抜けること。また、MまたはCBDが開始した非ワークアウトLIFOを指す。

私のようなFNGには、右の定義はまるでちんぷんかんぷんだ。しかし、そこがポイントといえる。「ボビー・クレミンズをかます」の意味がわかるようになるころには、F3という部族に受け入れられたという達成感も芽生えているだろう。F3が連帯感をどれほど重視しているかは、ワークアウトが終わって解散する前にかならず行なわれる、〝信頼の輪〟の儀式を見れば明らかだ。この儀式では参加者が輪になり、一人ずつ自分の本名とF3でのニックネームを名乗ったうえで、何か気の利いたことを一つ言うか、感謝の言葉を述べるかする。初めて参加したメンバーには、その場でニックネームが与えられる。一種の加入儀礼だ。

このようなわざとらしいルールや略語をちょっとやりすぎと感じる人もいるかもしれないが、効果は否定できない。二〇一一年一月、初の無料F3ワークアウトを始動したのは共同創設者のデヴィッド・レディング（ニックネームは〝ドレッド〟）とティム・ウィットマイア（ニックネームは〝OBT〟）で、場所はノースカロライナ州シャーロットのある中学校の校庭だった。それから七年、いまでは全国に一二〇〇以上のグループがあって活動を続けている。[30]

だが、ソーシャル・フィットネス現象の最大のサクセスストーリーは、間違いなくクロスフィットだろう。最初のクロスフィット・ジム（クロスフィットの用語ではジムは〝ボックス〟と呼ばれる）は一九九六年にオープンした。現在では一二〇カ国に一万三〇〇〇を超えるボックスが存在する。アメリカでは、スターバックス二軒につきクロスフィット・ボックス一軒の割合だという[31]――フィットネス・ブランドとしては信じがたい数だ。

クロスフィットの人気が高まり始めたころ、業界内には困惑が広がった。どのスポーツジムも、料金設定とサービスに注力していたからだ。ところが典型的なクロスフィット・ボックスは、ちょっと薄汚れた元倉庫などの建物で、なかに入ってもほとんど何もない。フィットネス機器――たいがいは壁際に追いやられている――は二〇世紀初めのボクシングジムに並んでいたような類いのものだ。ケトルベル（金属の球に持ち手がついた、やかん形のウェイトトレーニング器具）、メディシンボール（おもりの入ったボール）、ロープ、木箱、懸垂バー、スチールのスクワットラック。トレッドミルや高性能ケーブルマシン、しゃれた更衣室、まばゆいライトはないし、テレビなどむろんあるわけがない。料金も超高額だ。私の家の近所にあるプラネット・フィットネスの利用料は月額一〇ドルで、Ｗｉ－Ｆｉも追加料金なしで利用できる。やはり家の近くにあるクロスフィット・ボックスの利用料は月額二一〇ドル。Ｗｉ－Ｆｉは使えるかと尋ねようものなら、ケトルベルを振って追い払われるだろう。

クロスフィットの成功の秘密はおそらく、クロスフィット・ボックスと通常のスポーツジムとの最大の違いに表われている。クロスフィットでは誰もイヤフォンをしていないのだ。クロスフィットのフィットネスプログラムは、今日のワークアウト《ワークアウト・オブ・ザ・デイ》、略してWODを中心に組まれている。典型例としては、強度の高い実用的な動作のエクササイズを組み合わせ、それをできるかぎり短時間でこなすメニューだ。たとえば、私がこの章を執筆していた期間のある日のWODは、次のようだった。[32]

以下を三セット：

・スクワット　60回
・ニーズ・トゥ・エルボーズ　30回（バーにぶら下がった状態で両膝を持ち上げて肘に近づけるエクササイズ）
・リング腕立て伏せ　30回（床ぎりぎりまで高さを下げた吊り輪を上からつかんだ状態でする腕立て伏せ）

WODに一人きりで取り組むことは許されない。一日に数回、WODを実施するクラスが設定されていて、その時間に近くのボックスに行き、少数のメンバーや監督するトレーナーと一緒にWODをこなすのだ。この社交の側面がWODの要になっている。あなたはほかのメンバーを励まし、ほかのメンバーはあなたを励ます。ふだんならこなせない回数のトレーニングも、周囲に励まされてクリアできてしまうこともある。これが重要なのだ。クロスフィットの理念の核をなすのは、少ない回数でも短時間に集中して一気にこなすほうが、時間をかけてたくさんの回数をこなすより効果的であるという考え方だ。WODにある社交の側面が、コミュニティに属しているという感覚を強める効果をも持つ。元パーソナル・トレーナーで、いまはすっかりクロスフィットの信奉者になったという人物は、その体験を次のように話す。「（加入しているクロスフィット・ボックスで）WODに参加したとき、あと数回というところでギブアップしかけたのですが、ほかのメンバーが声を出して励ましてくれたおかげで最後までやり遂げられたんです。その仲間意識から、ほかのフィットネス施設では一度も経験したことのない高揚感を得られました[33]」型破りな言動で知られるクロスフィット創設者グレッグ・グラスマンは、自分が始めたフィットネス・ムーブメントから生まれた、泥臭いが情熱で結ばれた仲間意識について尋ねられ、クロスフィットを「バイカー集団が運営する宗教[34]」と呼んで説明したことは有名だ。

　近所の新米ママたちのブートキャンプ、F3、クロスフィット。成功した理由はいずれも、ボードゲーム・カフェのスネークス&ラテスが成功した理由と同じだ――ふつうに生活していたらまず接することのない、刺激的で深みのある交流を促す余暇活動だからだ。そのような社交上の利点を生む活動は、ボードゲームとソーシャル・フィットネスだけではない。たとえばほかに、アマチュア・スポーツリーグ、大半のボランティア活動、古いボートを修理するとか地域にスケートリンクを建設するなどのグループ・プロジェクトにチームで参加するといった活動がある。

　人との交流がかなう余暇活動には、共通する二つの特徴がある。第一に、他者と対面で時間を共有する必要があることだ。ここまで何度か繰り返してきたように、現実世界での親睦には、バーチャルな接続ではほとんど得られない、五感への刺激や豊かな交流がある。「ワールドオブウォークラフト」のクラン《チーム》と一緒にプレイするのはこの条件に当てはまらない。第二に、これらの余暇活動には親睦を支える何らかの枠組みが用意されている。ルールが定められていたり、内輪でしか通じない略語や儀式があったりする。また共通のゴールが設けられていることも少なくない。ここまで議論してきたように、こういった制約があるがために、かえって自由な表現が可能になる。クロスフィットの仲間は大きな声であなたを励まし、熱いハイタッチと汗染みたハグを交わす。そこにあふれる歓喜と熱意は、別の場所ならあまりにも気恥ずかしく思えることだろう。
さて、質の高い余暇活動を見つけるための三つ目の教訓を掲げて、このセクションを締めくくることにしよう。

余暇活動の教訓3：親睦を支える枠組みが用意された、リアルな世界での交流が必要な活動を探そう。

SNS中毒の救世主「スマホサイズの本」

マウス・ブック・クラブは、質の高い余暇活動とデジタル・テクノロジーのあいだの複雑な関係を物語る好例だ[35]。会員になると、年に四回、テーマに沿って選ばれた名作小説や短編が手もとに送られてくる。たとえば二〇一七年のクリスマス時季に配付されたのは、〝贈り物〟というテーマに合わせたコレクションで、オー・ヘンリー『賢者の贈り物』、オスカー・ワイルド『幸福な王子』、そしてトルストイ、ドストエフスキー、チェーホフの三人のロシア人作家によるクリスマス・ストーリーだった。

似たようなブック・クラブはほかにもあるが、マウス・ブック・クラブの特徴は配付される書籍そのものにある。スマートフォンと縦横ほぼ同じサイズに特別に印刷されたコンパクトな冊子なのだ。このサイズになっているのは意図的なこと。〝マウス・ブック〟の基本哲学は、スマートフォンと一緒にポケットに収まる本だ。ちょっとした隙間時間に気晴らしを求めてスマートフォンをいじりたくなったとき、代わりにマウス・ブックをポケットから取り出し、スマートフォンが提供する娯楽よりもう少し深みのあるものを数ページ読む。運営会社は「文学を持ち歩く」[36]を理念に掲げ、彼らの携帯型娯楽デバイスは「電池切れとは無縁、〝スクリーン〟が割れる心配もなく、着信音を鳴らすことも震えることもない」というのが売り文句になっている。

この章で紹介した質の高い余暇活動の例と同様に、マウス・ブックは世の中に挑戦するかのようなアナログな物体だ。手で触れることのできるモノであり、そこから価値を引き出すにはまず（知的な）努力をしなくてはならない――しかしその結果、得られる価値は、密度の濃いもの、デジタルの娯楽がもたらす強烈だが一時的な高揚《ハイ》と違って長続きするものだ。こういった例は、質の高い余暇活動を新しいテクノロジーに対抗するものに位置づけているように思えるが、右で示唆したように、現実はそう単純ではない。よく調べてみわかる。

ると、マウス・ブック・クラブが存在するのは複数の技術革新があってこそであることが

本を作るには印刷の資金が必要だ。マウス・ブック・クラブの共同創設者、デヴィッド・ドウェインとブライアン・チャッペルは、キックスターターのキャンペーンを利用して、一〇〇〇人を超える後援者から五万ドル超を集めて印刷費に充てた。後援者がこのキャンペーンを知ったのは、読者をこのプロジェクトに誘導した私のようなブロガーが複数いたからだ。マウス・ブック・クラブのもう一つ重要なポイントは、送られてきた本について議論をすることで理解を深め、読書体験から得られる価値を最大限にしようとしているところにある。そのための公式ブログを開設し、最新のコレクションのテーマについてブログ編集者と討論できる場としたり、特定のトピックについてさらに議論を深めることを目的としてインタビュー形式のポッドキャストを配信したりしている（ポッドキャストの最新のエピソードでは、フランスの作家モンテーニュについて、フランス文学の権威であるシカゴ大学のフィリップ・デサンにインタビューしている）。いまこの章を書いている時点で、マウス・ブック・クラブは、リアルな読書クラブを創設して会員同士で集まれるよう、近隣の会員を検索するシステムを開発中だ。

マウス・ブック・クラブは質の高いアナログ経験を会員に届けているとはいえ、この一

〇年ほどに起きたさまざまな技術革新がなければ存在できなかった。この点を指摘するのは、質の高い余暇活動を手に入れるには、インターネット普及前の時代を懐かしんで時計を巻き戻す必要があるという誤解を退けたいからだ。時計を巻き戻すどころか、インターネットによって人類史上かつてなかった数の選択肢が一般の人々に提示されるようになったおかげで、一種の〝余暇のルネッサンス〟が起きている。インターネットは二種類の貢献をしている。一つは、興味の対象に関連したコミュニティを見つけやすくなったこと。もう一つは、特定の趣味を追求するのに必要な情報は容易に見つからない場合も少なくないが、インターネットのおかげでアクセスしやすくなったことだ。新しい街に引っ越して、文学を語り合える場をここでも探したいと思ったとき、マウス・ブック・クラブを通じて近所の本の虫と知り合いになれるかもしれない。フルーガルウッズのブログに触発されて自分でも薪を集めたいと思ったら、ＹｏｕＴｕｂｅを検索すれば薪集めの基本を教えてくれる動画がいくらでも見つかる。質の高い余暇活動を開拓するのに、現代ほど恵まれた時代はかつてなかっただろう。

どうやら議論は堂々巡りを始めたかに見える。この章の趣旨は、質の低いデジタル習慣による時間の枯渇を避けるには、質の高い余暇活動を始めることがまず必要であるということだった。そういった質の高い活動は、これまでのスクリーンに代わって空白の時間を埋める。しかしたったいま私は、質の高い活動を開拓するにはデジタル・ツールを使うべきだと述べた。となると、新しいテクノロジーを使うのを避けるために新しいテクノロジーを使いましょうと言っているようにも聞こえるだろう。

幸いなことに、この堂々巡りから逃れるのは容易だ。私が避けようと勧めているのは、スクリーンから提供されるものを漫然と受け取る行為がそのまま余暇活動であるような状態だ。この状態から、よりよい娯楽で余暇を埋めるような状態に変えていってほしい。そのようなよりよい娯楽の大半は、基本的に物質的な世界で見つかる。よりよい娯楽で余暇を埋める生活では、デジタル・テクノロジーはこれまでどおり存在するが、これまでとは違って脇役でしかない。あなたが余暇活動を始めたり続けていったりするのを支援はするが、余暇の過ごし方そのものにはならないのだ。笑えるYouTube動画を眺めて一時間を過ごせば、エネルギーが枯渇するかもしれないが――これは私自身が最近経験した例なのだが――バスルームの換気扇のモーターを交換する方法をYouTubeの動画で学べば、にわか修理屋として充実した午後を過ごすことができる。

デジタル・ミニマリズムの土台をなすテーマは、単に技術革新を忌避したり、反対に漫然と受け入れたりするのではなく、意図と目的をもって利用するなら、新しいテクノロジーはよりよい生活を生み出すものであるということだ。だから、ここでの余暇活動の開拓という間口のせまい議論にもその概念が当てはまるとしても、意外なことではない。

■　■　■

質の高い余暇は幸福に不可欠であるとアリストテレスは主張した。それをふまえて、この章では質の高い趣味を手に入れるための教訓を三つ提示した。そのあと、そういった余暇活動は基本的にアナログな性質のものではあるが、うまく実践するには新しいテクノロジーを戦略的に活用することも必要だという但し書きをつけた。

パート2のほかの章と同じように、余暇活動についての議論の締めくくりとして、この章で紹介した洞察を実行に移すための具体的な戦略をいくつか挙げよう。これらの戦略は、余暇活動を改善する手順を示すものではなく、どのような種類の行動を起こせばアリストテレスが描いた幸福への青写真を現実に結びつけられるかの例を提示するものだ。

演習　週に何か一つ、修理するか作るかしてみよう

この章の最初のほうで、ピート・アデニー（またの名を〝ミスター・マネー・マスタシ

ュ〟）を紹介した。若くして経済的自立を達成した元エンジニアだ。ピートのブログのアーカイブをたどっていくと、とりわけ注目に値する記事が見つかる。ピートが金属溶接に挑んだ二〇一二年四月の記事だ。

ピートの説明にあるように、彼が溶接を探求するきっかけは二〇〇五年にあった。当時ピートは住宅の建築に取り組んでいた（忠実なミスター・マネー・マスタシュ・ファンなら知っていることと思うが、エンジニアの仕事を辞めたあと、ピートは小さな工務店を始めたが、数年で倒産している）。モダンな設計の家だったので、デザイン・プランにカスタムメイドの金属細工を組みこんだ。その一環で階段の手すりを美しい金属細工にしようと思いついた。

すばらしいアイデアと思えたが、それも金属加工業者からの見積もりが届くまでのことだった。ピートが考えていた予算は四〇〇〇ドルだったが、一万五八〇〇ドルかかるというのだ。「なんだって？……この業者は一時間当たり工賃七五ドルも請求するわけか。もしかしたらこれは、自分で加工できるようになっておけって啓示かもしれないな」[37] 見積もりを受け取ったとき、ピートはそんな風に考えたという。「しろうとには難しいのかな？」実際に挑んでみて出た答えは――〝それほど難しくない〟だった。

ブログ記事に詳しく書かれているとおり、ピートはグラインダーと金属用チョップソー、溶接用バイザー、厚手の作業用グローブ、一二〇ボルトのワイヤ・フィード式フラックスコアード溶接機——ピートによると、扱いを覚えるのが群を抜いて簡単な溶接機——を購入した。それから、簡単なプロジェクトを二つ三つとYouTubeの動画を何本か選び、作業を開始した。ほどなく、ピートはまずまず腕のいい溶接工になった——名人クラスではないが、数千ドル分の工賃と材料費を浮かすことができる程度のレベルには到達した（ピート本人の説明によれば、「曲線だらけのスーパーカー」を作るのはとうてい無理だが、「マッドマックス風のデューンバギー」程度ならりっぱに作れるそうだ）。住宅建築プロジェクトの階段の手すりを仕上げたあと（見積もりの一万五八〇〇ドルよりずっと安く上がった）、近隣の住宅の屋上に設けられたパティオの手すりも作った。次にスチールのガーデンゲートや独特のデザインを施した植木鉢ホルダーを作った。自分のピックアップトラック専用の木材ラックを作り、地元の歴史的価値の高い住宅のカスタム構造パーツを製作し、古くなった基礎や床を補修した。溶接の経験を綴ったブログを執筆中に、自宅ガレージ扉の開閉器の金属製取り付け金具が壊れた。これも自分で簡単に修理できた。

ピートは、新しい身体的スキルが必要になったとき楽々と身につけることができるタイプの〝手先の器用な〟人物の一例だ。アメリカにも、大多数の人がそういうタイプの器用さを持っていた時代がかつてあった。たとえば僻地に住んでいたら、身の回りのものを修理したり新しく作ったりできなければならなかった──代替品を届けてくれるアマゾン・プライムはなかったし、イェルプ（ローカルビジネスのレビューサイト）おすすめの工務店から工具一式を携えた職人が駆けつけてくれることもなかった。マシュー・クロフォードによれば、昔のシアーズ百貨店のカタログには、すべての家電や機械製品の部品展開図が掲載されていたという。「消費者からそういった情報を求められるのは当たり前のことだった」[38]とクロフォードは書いている。

現在では、手先の器用な人は減っている。理由は単純だ。大半の人にとって、職場や自宅の生活が円滑に機能するように努める必要はもはやなくなったからだ。この変化にはメリットとデメリットがある。最大のメリットは、いうまでもなく、空き時間が膨大に増え、より生産的な活動に使えるようになったことだ。壊れた品物を自分で修理するのは楽しいものだが、修理し続けていると、そのモノは古くなっていく。経済学者にいわせれば専門化したほうが効率的でもある。たとえば弁護士なら、経済の観点から見れば、弁護士としての能力を磨くことに時間を注ぎ、余分に稼いだ金で、壊れた品物を専門業者に直してもらうほうが得策だ。

しかし個人的、経済的な効率を最大にすることは、唯一価値を持つゴールというわけではない。この章の初めのほうで論じたように、新しいスキルを学び、応用することは、質の高い余暇の重要な源になる。ある程度の器用さを身につけさえすれば、そういった種類の充実した活動を容易に見つけられるということだ。この戦略では、みなピート・アデニーになれとはいわない——前述したように、彼にはそういった活動に充てられる時間がほぼ無限にあるのだから——が、修理をしたり、新たなスキルを身につけたり、何かを作ったりするプロジェクトを日常の一部として取り入れることをお勧めする。

■■■

器用さを身につける一番の近道は、新しいスキルを学び、それを応用して何かを修理し、学び、作ること、そしてまた修理し、学び、作る過程を繰り返すことだ。多かれ少なかれステップ・バイ・ステップの指示に従っていれば完了するような簡単なプロジェクトから選んで挑戦しよう。慣れてきたら、空白の部分を自分で考えて埋めたり、提案されたやり方を状況に合わせて変えたりといったことが必要になるような、いくらか難度の高いプロジェクトにレベルアップする。具体的には、次のリストに挙げたようなタイプのプロジェクトから取り組んでみるといいだろう。初めて自分の手を使って何かしてみようと思い立った人のために考えたリストであり、いずれも私や私の知人が一度の週末で学び、完了することができたものでもある。

・車のオイルを交換する
・新しいシーリングライトを設置する
・すでに演奏できる楽器の新しいテクニックの基礎を学ぶ（たとえばギターを弾く人なら、ギャロッピング奏法を身につけるなど）
・レコードプレーヤーのアーム調整を完璧にする
・高品質な木材を調達してベッドのヘッドボードを製作する
・家庭菜園を始める

デジタルのプロジェクトが一つもないことに目を留めてほしい。新しいコンピューター言語を学んだり、新しい複雑なガジェットの使い方を身につけたりすればそれなりの達成感は得られるだろうが、私たちの大半は、スクリーン上で文字や記号をいじることにすでに充分な時間を注いでいる。ここで取り組むべき余暇活動の目的は、物質的な世界でモノをいじりたいという強烈な本能を活用することだ。

右のリストにあるような簡単なプロジェクトに必要なスキルをどこで学んだらいいのだ

ろうと疑問に思っているなら、その答えもまた簡単だ。私が話を聞いた現代の〝修理職人〟のほぼ全員が、手っ取り早いハウツーレッスンの宝庫として、同じものを推薦した――YouTubeだ。誰もが思いつくようなプロジェクトなら、基礎の基礎から指導してくれるYouTube動画が星の数ほど見つかる。有益な動画もあればそうでもないものもあるが、自信がついてくれば、そのものずばりのアドバイスは必要なくなるだろう。おおよそ正しい方向を指し示すヒントさえ手に入れれば充分だ。

私の提案としては、週ごとに一つ、新しいスキルを学んで応用し、それを六週間続けることだ。先ほどリストに挙げたような簡単なことから始めるのがいいだろうが、何かに挑戦しているという感覚が薄れ始めたらすぐ、必要とされるスキルやステップの難度を上げていこう。

六週間の実験期間が終わったとき、愛車のホンダのエンジンを分解して組み立てることはできないまでも、初歩的な器用さは身についているだろう。自分は新しいことを学ぶ能力があるということに、そして自分が新しい挑戦を楽しんでいるということに気づくには、それで充分だ。あなたが大半の人々と同じなら、六週間の速習コースを修了したとき、自分の手を汚して何かをすることに喜びを感じるようになっているだろう。その喜びはすぐには消えないし、そこから得られる価値はとても大きい。

演習　質の低い余暇活動をスケジューリングしよう

数年前、シリコンヴァレーの起業家ジム・クラークは、スタンフォード大学で開かれたあるイベントでインタビューに応じた。そのインタビュー中、話題がソーシャルメディアに及んだ。ハイテクな経歴の持ち主であることを考えると、クラークの反応は意外なものだった――「ソーシャル・ネットワーキングのよさが私には理解できない」[39]。続けて、嫌悪感を抱いたきっかけは、あるパネルディスカッションの場でソーシャルメディア企業の幹部と同席したことだったと語った。

(その幹部は)人々は一日一二時間もフェイスブックに費やしているんだと夢中になってしゃべった……そこで私は訊いたんだ。「一日一二時間もフェイスブックをやっているような人物が、きみと同じような成功を果たして収められるだろうか」と。[40]

この質問は、ウェブ2・0を熱狂的に支持する人々が描く理想郷的なビジョンに隠れた致命的な欠点を的確に指摘している。フェイスブックやツイッターに代表されるツールは、それを使えばどのようなことが可能になるか、いいところばかりを挙げてマーケティングされている。たとえば、人とのつながりや自己表現といったことだ。しかしパネラーとしてクラークと同席した人物の有り余る熱意は、アテンション・エコノミー・コングロマリットにとって、それらの長所はおまけ付き菓子に入っているおもちゃのようなものだということを暴露している――喧伝されているメリットは、ユーザーにそのアプリをタップさせるためのおまけでしかなく、アプリを起動させたらこっちのもの、あとはユーザーの時間と注意をできるかぎり奪い取って自分たちの利益マシンに投入するだけだ（ソーシャルメディア・サービスが金銭的利益のためにいかに人間の心理的弱点を利用しているかについて、詳しくはパート1の議論を参照のこと）。

クラークがあきれ顔で指摘したように、そういったサービスがどのような直接の便益をユーザーに提供しようと、ユーザーが朝から晩までサービスを利用しているとしたら、彼らの生産性や生活満足度に及ぶ影響を差し引きすればマイナスであるはずだ。つまり、フェイスブックのようなサービスを毎日何時間も利用していたら、何十億ドルもの利益を生むフェイスブックのような帝国を築くことは不可能になるのだ。

アテンション・エコノミーがもたらすメリットと、ユーザーの時間をできるかぎり吸い取るというサービス最大の使命とは両立しない。この事実は、質の高い余暇活動を開拓しようということでの目標を考えると、大きな問題となる。夜の空き時間に何か質の高い活動をするつもりでいたのに、ネットサーフィンやマラソン視聴というウサギ穴に転げ落ちてあっというまに数時間がたち、気づいたときにはせっかくのチャンスがふいになっているということは誰にでも覚えがあるだろう。

この問題を解決する簡単な方法は、時間を吸い取るように設計された娯楽の大半の利用をやめることだ。この本で学んだデジタル・ミニマリズムの哲学を実践していくうち、ここでいわれるまでもなく、最終的には自分からやめることになるかもしれないが、この思い切ったステップは、その結果を先取りする。この章の議論の前提は、質の高い余暇活動を先に開拓すれば、質の低いデジタル娯楽をあとから最小限にするのは容易になるはずだというものだった。これを前提に、ここではもっと単純な解決策を提案したい。頻繁に利用しているサービスやウェブサイトの大半を排除する必要まではないものの、それでも質の高い余暇活動に時間を割くのが容易になるような提案だ。のちほどまた詳しく説明するが、この戦略には、ソーシャルメディア企業がすくみ上がるような発想であるというおまけのメリットもついている。

■■■

私の提案はこうだ――質の低い余暇活動に費やす時間をあらかじめスケジュールに入れておこう。つまり、そのための時間を先にブロックしておいてネットサーフィンやソーシャルメディアのチェック、配信動画の視聴などに充てるのだ。この時間帯には何をしてもかまわない。ネットフリックスでドラマを立て続けに視聴《ビンジ・ウォッチング》しながら、ツイッターでその模様をリアルタイムでツイートしたいなら……どうぞどうぞ。ただし、この時間帯以外はオフラインで過ごそう。

この戦略が効果的な理由は二つ。第一に、注意や関心を奪うサービスを利用する時間を厳格に制限すれば、もっと実のある活動に充てるべき残りの自由時間が削り取られずにすむ。お決まりのスクリーンにアクセスできなければ、自由時間を埋めるための次善の選択肢は、質の高い余暇活動になるはずだ。

もう一つの理由は、質の低い娯楽を完全にあきらめるところまでは要求していないことだ。何かを金輪際やってはいけないとなると、不可解な心理が働く。たとえば、空いた時間があろうと絶対にネットには接続しないと決めた場合、小さな問題や例外がとめどなく生まれてきて手に負えなくなるおそれがある。心の一部は、芽生えたばかりの不接続《ディスコネクション》への熱意に疑いの目を向け、その疑念を利用してあなたの決意をくじきにかかる。決意が揺らいだが最後、ルールを守ろうという意気込みも崩壊し、あなたは制限のない状態、ネットから離れられない状態に逆戻りしてしまう。

対照的に、そのための時間枠を設定し、質の低い娯楽をそこに閉じこめた場合、心のどこかに疑いが生じたとしても、その発言力ははるかに弱くなる。何かをやめたわけではないし、情報へのアクセスを完全に遮断したわけでもなく、ただ単に空いた時間をより意識的に使おうとしているだけのことだ。そういった合理的な制限に異議を唱えるのは難しい。だから長続きする。

この戦略を導入する際は、質の低い余暇活動に割り当てる時間の長さは気にしないことだ。たとえば、平日の夜と週末の大部分を割り当てるところから始めてもかまわない。質の高い余暇活動が占める割合が増えるにつれて、自然とより積極的に制限をかけることになるはずだ。

この戦略の何がソーシャルメディア企業を震え上がらせるのか。それは、時間を制限する経験を通じて、ソーシャルメディアに費やす時間を思い切って減らしたとしても、サービスを利用するメリットの大半を逃しているような気持ちにはならずにすむことがわかってしまうからだ。推測するに、週に合計で二〇分から四〇分程度利用すれば、これらのサービスのメリットの大方を享受できる人が大半だろう。そう考えると、かなり厳しい時間制限を課しても、何か大事なことを見逃したのではないかと不安にならずにすむはずだ。

この発想はソーシャルメディア企業を怯えさせる。彼らのビジネスモデルは、ユーザーが可能なかぎり多くの時間を自分たちの製品に費やしてくれる前提で成り立っているのだから。サービスを擁護するとき、彼らの製品を使うメリットばかりを強調し、どのように使うべきかという問題に目を向けようとしないのはそのためだ。ユーザーがもし後者の問題を真剣に考え始めたら、自分があまりにも多くの時間をネットに費やしていることにおそらく気づく（このトピックについては次の章で詳しく検討する）。

この戦略がシンプルなのに驚くほどの効果を発揮するのは、右に挙げたような理由があるからだ。質の低い娯楽を（メリットを享受しそこねているという感覚なしに）制限し、その分の空いた時間を（はるかに大きな充足感をもたらす）質の高い娯楽で埋めていけば、光を放つスクリーンをただぼんやり見つめるだけのことになぜあれほどの余暇を注ぎこめたのかと不思議に思えてくるだろう。

演習　何かに参加しよう

建国の父ベンジャミン・フランクリンは根っから社交的な人物で、少し前に述べたような枠組みのある交流の重要性を直観的に理解していた。しかし、この直観を行動に移すにはかなりの努力を要した。一七二六年にロンドンから帰国したフランクリンは、フィラデルフィアの社交生活に物足りなさを感じた。彼はマサチューセッツ州ボストン育ちで、新しいふるさととなったペンシルベニア州フィラデルフィアには親戚の一人さえいなかった。宗教上の教義には懐疑的であったため、教会を中心とした既成のコミュニティに参加するという選択肢もなかった。それでも彼はくじけず、自分で社交組織を新しく作ればいいではないかと考えた。

一七二七年、フランクリンはジャントーという社交クラブを創設した。このクラブについて、自伝には次のように書かれている。

発想力に優れた知人の大方を集め、相互の向上を目的とするクラブを創設し、ジャントー・クラブと命名した。会合は毎週金曜の夜に開いた。私が起草した会則では、会員は持ち回りで道徳、政治、自然科学にまつわるトピックを最低でも一つ、会合に提出し、そこで討論にかけることになっていた。また三カ月に一本、自分で選んだテーマについて評論を執筆し、会合の場で朗読することと定められていた。[41]

クラブの会合に触発され、フランクリンはジャントーのメンバーからの寄付金で書籍を共同購入し、メンバーなら誰でも利用できる仕組みを作った。この仕組みはまもなく毎週金曜日の会合の枠を超えて大きくなり、一七三一年にはフィラデルフィア図書館会社を設立した。これはアメリカ初の会員制図書館だ。

一七三六年、フランクリンはフィラデルフィアに消防組合を組織する。アメリカ初のボランティア消防隊で、植民地時代の火災に弱い街にはぜひとも必要なものだった。一七四三年ごろには自然科学に対する関心が募り、アメリカ学術協会（現在も存在している）を設立して全国の優秀な科学者がより効率的に情報を交換できる場とした。

こういった新しい組織や団体を創設する努力を通じて、歴史あるクラブに入会するための人脈をも築いた。有名な例を挙げれば、フランクリンは一七三一年にフィラデルフィアのフリーメーソン・ロッジに招かれている。一七三四年にはグランド・マスターに昇格した。これは彼の献身ぶりを裏づけるスピード昇進だ。

おそらく何より注目すべき事実は、そういった社交活動のすべてが一七四七年に印刷業から引退する前の話であることだろう。ちなみに自伝には、引退を機にようやく余暇活動に本格的に取り組めるようになったと書かれている。

フランクリンはアメリカ史に残る社交家の一人だ。計画的な活動や他者との交流は、絶えず動き続けていた彼に大きな満足を与えただけでなく、実務的な面でもビジネスの世界、そしてのちには政治の世界で成功を収める土台となった。フランクリンほど社交にエネルギーを注げる人はあまりいないだろうが、それでも余暇活動を充実させるためにフランクリンが採用したアプローチから重要な教訓を引き出すことができる――何かに参加することだ。

フランクリンは何らかのグループに参加せずにはいられなかった。クラブ、協会、支部、ボランティア・グループ――有用な目的を掲げる団体、興味深い人物が集まる組織であれば、どんなものであれ関心を示し、そこに加わる価値を見いだした。前述したように、そういった集まりが見当たらなければ自分で創設した。この戦略は当たった。フィラデルフィアにやってきたとき、彼を知る人は誰もいなかった。しかし二〇年後には、誰より忙しい人物であるだけでなく、誰より広い人脈を持つ街の名士になっていた。彼の情熱的な人生には、倦怠や退屈が入りこむ余地はないに等しかった。

人の輪に参加するというフランクリンの教訓は、ぜひとも心に銘記すべきだ。共通の目的に向けて奮闘する個人の集まりには煩わしさや困難がつきものであり、それは家族や親しい友人と過ごす安楽さから離れるのを拒む言い訳として便利に使える。しかしフランクリンは、その不安を振り払う価値はあるはずだと教えている。まずは参加してみなさい――フランクリンならそう助言するだろう。問題を解決するのはそれからで間に合うと。近所のスポーツチームでもいい。教会の委員会でも、ボランティア・グループでもかまわない。PTA、ソーシャル・フィットネス・グループ、ファンタジー・ゲームのクラブでもいい。同じコミュニティに属する人々との交流には、ほかからはまず得られないメリットがある。だから立ち上がり、外に出てコミュニティに参加し、メリットを受け取ろう。

演習　余暇の活動計画を立てよう

ビジネスの世界に目を向けると、優秀な人物の多くは周到な戦略家だ。ゴールに向けたビジョンを複数の異なる時間的尺度で明確に定め、最終目標と日々どう行動するかの判断とを結びつける。私はこういったタイプの職業戦略をこれまで何年も実践してきたし、それについて本も書いている。* ここでは、同じアプローチを余暇活動に応用することを提案したい。つまり、戦略的に余暇のスケジュールを立てるということだ。

あなたのいまの余暇が質の低い活動で占められているようなら、戦略が必要だと言われても馬鹿馬鹿しく思えるかもしれない——たかがウェブサーフィンやネットフリックスのマラソン視聴に、事前の段取りなど要るわけがない。しかし質の高い余暇活動を取り入れ始めた人には、戦略的アプローチのメリットは説明されるまでもないはずだ。こういったレベルの活動には、少しばかり複雑なスケジューリングとプランニングが欠かせないことが多いからだ。入念に考えてから取り組まないと、せっかくの余暇活動なのに、日常生活のトラブルの影響で質が低下してしまいがちになる。

これを避けるために、季節ごとと週ごとの二段構えのアプローチを採用して、余暇活動を戦略的に計画してほしい。以下にそれぞれの詳細を説明しよう。

シーズンごとの余暇活動プラン

シーズンごとの余暇活動プランは、年に三回——秋の初め（九月上旬）、冬の初め（一月）、夏の初め（五月上旬）に——立案する。私は大学に勤めているため、季節ごとに分けるほうがわかりやすく、大学のカレンダーとも一致する。社会人なら、四半期ごとのプランのほうが考えやすいかもしれないし、それならそれでかまわない。一年を三つか四つに分けるスケジュールであれば、それぞれ自然に思える区切りを使ってもらってかまわないが、ここでは右に記した三シーズンの前提で話を進めることとする。

優れたシーズン・プランには、二つのタイプの項目が含まれる。これから始まるシーズンに設定する〝目標〟と〝習慣〟だ。目標には、達成したいゴールとその達成のための戦略を具体的に記述しよう。習慣には、そのシーズンの終わりまで守りたい行動ルールを記述する。シーズンごとの余暇活動プランでは、目標と習慣のいずれもが質の高い余暇活動の開拓や継続に関わっている。

以下に、構成のしっかりしたシーズン・プランの例を挙げる。

目標

ビートルズの「ミート・ザ・ビートルズ」A面の全曲をギターで弾けるようになる！

＊このトピックに関する私の考えを反映した例として、私のブログ（calnewport.com/blog）にアクセスしていただければ、週ごと、日ごとのスケジュールの立て方について数多くの記事を読める。前著『大事なことに集中する』でもこのトピックに言及している。

戦略

・ギターの弦を張り替え、チューニングし直す。全曲のコード表を入手し、印刷して、しっかりしたビニール素材のプロテクターシートに入れる。
・以前と同じように、定期的にギターを練習する。
・モチベーションとして、一一月にビートルズ・パーティを企画する。そこで練習の成果を披露する（リンダに歌ってくれるよう交渉する）。

目標の記述が具体的であることに注目してほしい。この架空のプランを立てた人物がもし、「もっと頻繁にギターを弾くこと」とだけ書いたとしたら、おそらく目標は達成できないだろう。ゴールが曖昧すぎて、それに向けて何かしようという気になりにくいからだ。しかしこの例の人物は、何ができたら目標達成と見なすのかを具体的に書き、しかも一シーズンで充分に達成可能な目標を設定した。とはいえ、目標達成のためには、いうまでもなく、定期的にギターを練習するというやや曖昧なルールに従って行動する必要がある。

また、目標を達成するための戦略に、モチベーションを保つ材料が含まれていることにも注目してほしい――パーティの予定を立て、それまでに全曲マスターを達成していなくてはならないようにしている。必須というわけではないが、それでも可能なかぎり期限を設定したほうが目標は達成しやすくなる。そしてもう一つ注意してもらいたいのは、目標達成のための戦略のそれぞれについて、具体的なスケジュールを立てていないことだ。定期的に練習することと書いてはいるが、週ごとにどれだけ練習するのか、一度の練習時間がどれくらいかは書かれていない。この部分のスケジュールは、少しあとで説明するウィークリー・プランに盛りこむのが効果的だからだ。

では次に、シーズン・プランのもう一つの項目、習慣の例をいくつか挙げてみよう。

習慣：質の低い余暇活動に充てるのは夜だけ、しかも週に六〇分までとする。

習慣：夜、ベッドに入ってから寝るまで読書をする。

習慣：週に一つ、何らかの文化的なイベントに参加する。

いずれの習慣も、繰り返される行動のルールを定めている。特定の目標についてのものというより、質の高い余暇活動を定期的に取り入れる基礎を築くために設定されたものだ。習慣と目標の境界線は曖昧だ。先ほど挙げたビートルズの曲をマスターするという例であれば、目標ではなく、習慣のほうに「ギターを週に二度練習する」という項目を加えてもいいかもしれない。同様に、「毎晩読書をする」という項目を習慣に入れるのではなく、特定のジャンルの本を読むというシーズンの目標——毎日読まなければ達成できない目標——を立てて、そちらに盛りこむことも可能だ。

この演習では、境界線が曖昧になることは避けられないし、さほど気にする必要はない。シーズン・プランには興味深くてやる気をかき立てるような目標だけを絞りこんで掲げ、それと組み合わせる習慣も、質の高い余暇活動を後押しするようなものだけに絞りこむといい。特定の余暇活動を二つのカテゴリーのどちらに入れるかに悩むよりも、これから始まるシーズンに向けて無理のないバランスの取れたものにすることに意識を向けよう。

週ごとの余暇活動プラン

週の初めに時間を取って、現在のシーズン・プランの進捗を振り返ろう。次に、そこで集めた情報をもとに、これから始まる一週間のスケジュールのどこに余暇活動を配置するかを考えながらプランを立てる。シーズン・プランの目標ごとに、達成に向けて前進するために今週は何をするかを決め、それから——これが肝心だ——それをいつやるか、スケジュールに書きこむ。

ビートルズの曲をギターで弾けるようにするという先ほどの例に戻って検討しよう。練習をスケジュールのどこに入れるかを決めるのは、週ごとの余暇活動プランを立案するときだ。この人物が、月曜、水曜、金曜の朝、出勤前の午前七時三〇分から八時三〇分までスポーツジムで体を動かすことに決め、この週は火曜と木曜の同じ午前七時三〇分から八時三〇分まで、ギターの練習に充てることにしたとしよう。しかし翌週は、早朝の会議が何度か入っていて、同じ時間帯は埋まっているとしたら、夕方以降の空いた時間をギターの練習に充てることにするだろう。

すでに週ごとに詳細なスケジュールを立てる習慣のある人なら（私としては強くお勧めしたい習慣だ）、すでに使っているスケジュール・システムに週ごとの余暇活動プランを統合してしまえばいい。余暇活動プランがふだんどおりのスケジューリング作業の一部になっていけば――別々の行為で、やらなければやらないですんでしまうようなものとして扱わなければ――プランに従って実践できる可能性は高くなる。

最後に、スケジュール作業が終わったら、シーズン・プランに盛りこんだ習慣のリストを見直して再確認しよう。こうして再確認することで、これからの一週間、ルールに従うのを忘れずにすむはずだ。直前の一週間をざっと振り返り、習慣を実行できたか点検するとなおいい。習慣で定めたルールにどれだけ従うことができたか、簡単なスコアカードをつけておき、週ごとの振り返りのタイミングで確認する人もいる。その理由は二つある。一つは、何日か後に自分の達成度合いを振り返ることになると思うと、ルールに従って行動する可能性が高まること。もう一つは、振り返ることで、解決したほうがよさそうな問題があれば気づけることだ。どれだけ自分をなだめすかして実行に向かわせようとしても、やはり特定の習慣を守れないことが多いようなら、その習慣の設定に無理がある可能性を考えたほうがいい。

■■■

仕事や家族の用事を片づけたあとに残った時間くらいは、気分のままにリラックスして過ごしたいのに、そこに事前の計画などを持ちこんだらだいなしになるのではと心配だろうか。その心配は無用だとぜひ理解してもらいたい。ウィークリー・プランの立案にはほんの数分しかからないし、質の高い余暇活動を前もってスケジュールしておいても、余暇をのびのびと過ごせなくなるなどということはない。

もう一つ付け加えるなら、自由時間の過ごし方に意識的になればなるほど、生活のなかの自由時間が増えるという法則があるようだ。週ごとにスケジュールを立てる習慣がつくと、余暇活動の時間をどうにか確保しようと努力するようになる。たとえば、木曜は職場でやらなければならないことが少ないとわかれば、その日は三時半で仕事を終わらせ、夕飯前にハイキングに行くという計画を立てられる。事前の計画がないと、そうやって自分でチャンスを作り出していくこともできない。つまり、余暇を計画的に考えれば考えるほど、一週間のあいだにリラックスして過ごせる時間がぐんと増えるということだ。

最後にもう一つ。事前に計画するというアプローチが有効である根拠として、この章を通して論じてきた基本的な概念をおさらいしておきたい――何もしない時間というものは過大評価されているということだ。職場で忙しく過ごしているさなかに、あるいは朝から子供の世話でてんてこ舞いになったあとに、何もしなくていい時間がほしいといいたくなるだろう――スケジュールも、期待されることも何一つないまとまった時間、気分が向いたことだけをやっていればいい時間がほしくなる。そんな息抜きの時間もいいものではあるが、そこから得られる価値は低い。ぼんやりとスマートフォンをスワイプしたり、とくに見たかったわけでもない番組を延々と見たりというような、質の低い娯楽だけで過ぎてしまいがちだからだ。ここまで論じてきたさまざまな理由から、困難だが努力の甲斐のある活動にエネルギーを注ぐほうが、はるかに豊かな報酬を手にできる。

7 SNSアプリを全部消そう

フェイスブックのあやまち

フェイスブックは二〇一七年六月、「困難な問題」と題した連載ブログを始めた。フェイスブックの公序およびコミュニケーション担当副社長は連載開始を告知する記事で、「デジタル・テクノロジーは人の生活を変えるため、私たちはそれぞれ困難な問題に直面している」[1]と書いた。そして連載記事を通じて、フェイスブックがそのような問題にどう取り組んでいるかを説明していきたいとした。

連載開始の告知から二〇一八年の冬までのあいだに、フェイスブックは一五本の記事を公開し、多岐にわたるトピックを取り上げた。六月の記事では、グローバル・コミュニティにおいて誰が何をヘイトスピーチと判断するのかという問題を論じた。九月と一〇月には、ロシアのフェイスブックの広告が二〇一六年のアメリカ大統領選挙に及ぼした影響を探った。一二月には、写真に自動でタグを付ける機能に使われている顔認識技術についての一般の人々の不安を退ける記事を掲載した。「社会は新しい技術のメリットを歓迎する一方で、その技術が持つ潜在的な能力を制限しようとします」[2]とし、一八八八年にコダックのカメラが発売されたときも、一部の人々は不安を感じたという例を挙げた。

当時、私は、そういった問題に関する企業としての姿勢を明らかにしたフェイスブックに熱のない拍手を送ったものの、この企業広報活動にはさほど関心を抱かなかった。しかし、より重要な問題を論じた記事が公開されたとき、俄然興味を持った――「ソーシャルメディアに時間を費やすことは有害？」。フェイスブック社内の二人のリサーチャー、デヴィッド・ギンズバーグとモイラ・バークが共同で執筆したこの記事については、本書の前半、ソーシャルメディアのメリットとデメリットを科学的に考察するセクションでも少しだけ触れた。記事の書き出しはこうだ。「この重大なトピックのさまざまな側面について大勢の頭のよい人たちが論じている」[3]この事実を足がかりに、ソーシャルメディアを利用する〝よい面〟と〝悪い面〟を明らかにしようと複数の学術論文を引用し、「研究によれば、要はテクノロジーを利用する側の使い方しだい」[4]と締めくくっている。

これから見ていくように、この記事はフェイスブックが自社について語る姿勢が大きく変わったことを象徴している――それはのちに振り返って、あれがフェイスブックにとって大きなつまずきだったといわれることになるかもしれない方向転換であり、もしかしたら、文化の隅々にまで普及している現状の終わりの始まりとなるかもしれない。何より、この章で示すように、デジタル勢力は束になって人々の主体性を奪いにかかっているが、それに抵抗して主体性を守り抜くための効果的な戦略とはどのようなものであるかを、フェイスブック自らうっかり漏らしてしまったものともいえそうだ。

■ ■ ■

フェイスブックは愚かな間違いをしたという私の主張を理解するにはまず、フェイスブックが属する注意経済《アテンション・エコノミー》を理解するところから始めなくてはならない。重要なのは、〝アテンション・エコノミー〟とは、消費者の注意《アテンション》を集め、それを使いやすい形に包装し直したものを広告業者に販売して金銭的利益を得ている企業を指す[5]と知っておくことだ。

この仕組みは新しいものではない。コロンビア大学ロースクール教授でテクノロジー研究者のティム・ウー（このトピックに関して『*The Attention Merchants*（注意の商人）』という本を書いている）は、この経済モデルは一八三三年、新聞社主ベンジャミン・デイが初の一ペニー新聞（一九世紀に一般大衆向けに一セント〔ペニー〕で販売されていた新聞）《ニューヨーク・サン》[6]紙を創刊したときに遡るとしている。

このときまで、新聞社は読者を顧客と見なし、金を払っても読みたいと思わせる商品を届けることを理念に掲げていた。ベンジャミン・デイの何が画期的だったかといえば、読者を商品とし、広告主を顧客としても商売が成り立つと気づいたことだった。彼の目標は、読者の注意すなわち時間をできるかぎり多く集めて広告主に販売することに変わった。そのために、《ニューヨーク・サン》紙の価格を一ペニーという最低価格に設定し、大衆の興味を引きつける記事を積極的に掲載した。「デイは、その概念を本当に理解した最初の人物だった。客を集めるが、その客が持っている金は当てにしない」[7]ウーはある講演でそう語っている。「しかし客の注意を欲しがっている別の誰かに、客を売ることができる」

このビジネスモデルは大当たりし、一九世紀に巻き起こった〝タブロイド戦争〟の引き金となった。二〇世紀に入って放送業界がこのビジネスモデルを採用し、ラジオやテレビという新しいマスメディア・テクノロジーの力を振るって空前の規模の客を集めるようになった。

当然のことながら、一九九〇年代にインターネットが一般にも一気に普及すると、このビジネスモデルをオンラインの世界にどう取り入れるべきかをめぐる試行錯誤が始まった。初期の試みは成功とは呼べなかった（例：ポップアップ広告）。二〇〇〇年代なかば、株式公開時のグーグルの時価総額は二三〇億ドルと慎ましやかだった。当時、もっとも時価総額が高いインターネット企業は、売上の大半を販売手数料が占めていたイーベイ（オンラインオークションサイト）で、[8] 時価総額はグーグルの二倍程度にすぎなかった。フェイスブックは存在していたものの、その時点ではまだ〝thefacebook.com〟と呼ばれていて、会員は大学生に限定されていた。

それから一〇年で、状況は激変した。私がこの章を書いている週の最新情報を見ると、グーグルは二番目に〝高い〟アメリカ企業で、時価総額は八〇〇〇億ドル。[9] 一〇年前は一〇〇万にも満たなかったフェイスブックの利用者はいまや二〇億人を超え、時価総額はアメリカで五番目に高い五〇〇〇億ドルだ。対照的に、総合エネルギー企業エクソンモービルのいまの時価総額はおよそ三七〇〇億ドル。グーグルやフェイスブックなどの企業の最大の利益源〝凝視時間《アイボール・ミニッツ》〟を掘ることは、いまや石油を掘るよりもはるかに大きな利益を生むのだ。

この巨大な変化が起きた背景を理解するには、アメリカ最大の企業を見れば足りる。アップルだ。ｉＰｈｏｎｅ、そしてそれに続いた模倣製品の登場により、アテンション・エコノミーは、利益は生むものの、いくらかニッチな分野にあるという歴史的地位から、アメリカ経済最大の勢力の一つへと変貌した。この変化の要となったのは、スマートフォンなら一日二四時間いつでもユーザーに広告を届けられること、それと同時にユーザーの情報を収集して、見せるべき広告の精度をかつてないレベルまで向上させる一助となったことだ。その結果、人々の注意の埋蔵量は、新聞や雑誌、テレビ番組、大型広告板といった旧来のツールでは採掘しきれなかったほど大きいことが判明した。スマートフォンの登場は、グーグルやフェイスブックのような企業がこれまで手つかずだった人々の集中力の砦《とりで》に攻撃を仕掛け、略奪することを可能にした――そしてそれによって莫大な利益が生み出された。

どうすればスマートフォンを国中に行き渡った大型広告板にできるのか、それを突き止めるのは容易なことではなかった。第一章で少し触れたように、iPhoneの開発動機は、iPodと携帯電話の両方をポケットに入れて持ち歩かずにすむようにすることだった。そのデバイスに便乗して新しい経済セクターを確立するには、電話を見るよう――それも頻繁に――人々を説得しなくてはならなかった。フェイスブックはアテンション・エンジニアリングという分野を開拓し、心理的な弱点を突き、ユーザーが当初予定していた以上の長時間にわたって自社のサービスを利用するように仕向ける手法を開発した。現時点で、ユーザーは一日当たり平均五〇分以上をフェイスブック関連製品に費やしている。[10]ほかの人気のソーシャルメディア・サービスやウェブサイトも含めると、この数字はもっと大きくなる。このような常習的な利用は、偶然の産物ではない。これはデジタル・アテンション・エコノミーが得意とする戦術の基本中の基本なのだ。

しかし、ユーザーに常習的な利用を続けてもらうには、スマートフォンの使い方について批判的に考えてもらっては困る。そこでフェイスブックはここ何年か、自社を電力や携帯電話通信のような〝基盤的技術〟──誰もが何の疑問も抱かずに使うべきもの、使わないのは変わり者と思われるようなインフラ──に見せようとしている。文化の隅々まで普及したこの現状は、フェイスブックにとって理想的といえる。現ユーザーは文化的圧力に押されてユーザーであり続けてくれるわけで、具体的なメリットを売りこむ必要さえないのだから。*曖昧な魅力があるがために、特段の目的もないまま大勢がフェイスブックに登録し、そのまま抜け目ないアテンション・エンジニアの格好の餌食となっていく──すなわち、フェイスブックが五〇〇〇億ドルという目のくらむような時価総額を維持するために必要な、これもまた目のくらむような莫大な量の利用時間を差し出すことになる。

というわけで、話はフェイスブックの愚挙に戻る。フェイスブックが自社の社員であるギンズバーグとバークが書いたブログ記事に危惧を抱くべきという理由は、フェイスブックは誰もが何も考えずにただ〝利用〟すべき基盤的技術であるという神話をだいなしにするものだからだ。フェイスブックとのさまざまな関わり方を一つずつ分析評価し、ほかと比べて好ましいものを見きわめようとしたこの記事は、フェイスブックのサービスに自分が何を求めているのか、いま一度、冷静に考えてみましょうと促したに等しい。

この姿勢は、フェイスブックの破滅を招きかねないものだ。それがなぜなのかを理解しやすくするために、ちょっとした実験をしてみよう。あなたがフェイスブックを利用していると仮定して、そのサービスにどんな価値を見いだしているのか、主立ったものを箇条書きで挙げてみてほしい。そしてもし、どうしてもフェイスブックを退会しなくてはならなくなったとして、手放すのが惜しいと思うのはどの機能だろうか。そのリストができたら次に、フェイスブックが一分ごとの課金制になったと想像してみよう。ごくふつうの一週間に、リストに挙げたフェイスブックに欠かせないと思う機能のそれぞれについて、実

＊フェイスブックを一度も利用したことがない珍しいミレニアル世代の一人である著者は、この曖昧な文化的圧力を身をもって経験してきている。ほかでも書いたことがあるが、フェイスブックのアカウントを取得すべき理由としてよく言われたのが、〝使っていないいまは見逃していることにさえ気づいていない何らかのメリットがあるかもしれないから〟だった。「使ってみなよ、意外なメリットがあるかもしれないから」というのは、商品の売りこみ文句として史上最悪の一つに違いない。ところがデジタル・アテンション・エコノミーという特殊な文脈で使われると、多くの人々は納得してしまうようだ。

際にどの程度の時間を費やしたいだろうか。大半の人の答えは意外なほど少ない。平均すると二〇分から三〇分といったところだ。

ところが、フェイスブックの平均的なユーザーは、フェイスブック関連のサービスに週三五〇分を費やしている（先ほど挙げた一日五〇分という数字を単純に七倍して算出）。つまり、計算を働かせながら利用すれば、フェイスブック関連のサービスに費やす時間はユーザー平均の一一分の一から一七分の一ですむということになる。誰もが同じようにフェイスブックの利用について功利主義的に――ギンズバーグとバークがブログで使った用語――考えるようになれば、広告会社に販売できる〝凝視時間〟は一桁減り、フェイスブックの最終利益は大打撃をこうむる。投資家はそっぽを向き（ここ何年か、フェイスブックの四半期売上が数パーセント減少しただけでもウォール街の不安を煽っている）、フェイスブックは現在のような業態ではとても生き残っていかれなくなるだろう。ユーザーが注意深く《クリティカル》利用すれば、デジタル・アテンション・エコノミーは危機的《クリティカル》な問題に直面することになるのだ。

■

■

■

フェイスブックのような企業を支えているアテンション・エコノミーの脆弱さを理解すると、デジタル・ミニマリズムを成功させるための重要な戦略が見えてくる。ギンズバーグとバークのブログ記事は、フェイスブックをはじめとするサービスの極端にかけ離れた使い方を二つ紹介した。ソーシャルメディアの大企業は、〝利用〟が0か1かの単純な状態であり続けることを望んでいる。すなわち、彼らの基盤的技術に完全に取りこまれるか、変人と呼ばれるかの二者択一だ。対照的に、フェイスブックなどの企業がもっとも恐れている〝利用法〟は、ギンズバーグとバークが定義したもの――これらの製品が提供する多種多様な無料サービスを入念に吟味し、最大のメリットを受け取れるような方法で利用することだ。

後者のタイプの〝利用〟こそデジタル・ミニマリズムの真髄であるが、うまく実行に移すのは難しい。この章でデジタル・アテンション・エコノミー企業の財務に関わる数字を挙げたのは、ギンズバーグとバークのいうような的を絞った利用ではなく、彼らのビジネスモデルを支えているような、サービス内をあてどなく動き回るような利用へとユーザーを向かわせるために、どれほど莫大な資金を投じることができるかを強調するためだ。

私がそもそもこういったサービスのいずれにも手を出さずにいる最大の理由は、この闘いがあまりにも一方的だからだ。雑誌《ニューヨーカー》にジャーナリストのジョージ・

パッカーが書いた一節を引用するなら、「私は（ツイッターが）怖い。あの道徳観の低さに染まりたくないからではなく、うまくつきあう自信がないからだ。息子に充分な食べ物すら買ってやれなくなるのではないかと不安になる」[11]。しかし、それでもどうしてもソーシャルメディアを使いたいなら、しかも時間の使い方、注意を向ける先を決める権利を手放したくないのなら、その決断を貫くにはかなりの覚悟が必要になると知っておかなくてはならない。あなたが挑もうとしているのは、羊飼いの少年ダビデと巨人兵士ゴリアテの闘いだ。相手はありえないほど莫大な富を持ち、あなたに勝つためならその富を投じる気満々の企業なのだから。

別の言い方をすれば、ギンズバーグとバークが提案したように、意図を持ってアテンション・エコノミーのサービスを利用するのは、デジタル習慣に常識的な修正を加える行為ではなく、勇敢な抵抗運動《レジスタンス》と考えるべきだということだ。幸いなことに、この道を行くとしても、一人きりではない。デジタル・ミニマリズムのリサーチの過程で、ゆるやかに組織された〝アテンション・レジスタンス〟がすでに存在していることが判明しているのだ。彼らはハイテク・ツールと厳格な運営ルールを組み合わせ、アテンション・エコノミー・サービス軍に狙い澄ました局部攻撃を加えている——特定のメリットを手に入れるために敵地にさっと乗りこみ、ソーシャルメディア企業が仕掛けた注意を捕らえる罠が閉じる前に退却するのだ。

この章の残りのページは具体的なアドバイスに割くとともに、このレジスタンス運動の戦術の裏側に案内しよう。異なる戦術を一つずつ説明したあと、それぞれに演習のセクションをつけた。いずれも、執拗にあなたの注意を捕らえようとする試みを退けるのに有効であることが証明されている戦術だ。

しかし何より重要なのは、戦術の詳細ではなく、彼らが体現している心構えだろう。あなたなりのデジタル・ミニマリズムからソーシャルメディアやニュース速報サイトを排除することはできないとしても、一方の利益がそのまま他方の損になるゼロ・サム的闘いに臨む覚悟でアプローチすることが重要だ。あなたは彼らのネットワークから何らかのメリットを引き出したい、彼らはあなたの主体性を削り取りたい――この闘いの最終的な勝者になるためには、事前の準備と、搾取をはねつける妥協のない信念が必要だ。

レジスタンス万歳《ヴィヴ・ラ・レジスタンス》！

演習　スマホからソーシャルメディアを削除しよう

二〇一二年ごろから、フェイスブックに異変が起き始めた。この年の三月、サービス開始から初めてモバイル・バージョンに広告が表示されるようになった。一〇月までに、広告収入の一四パーセントをモバイル向け広告が占めるようになり、[12]領土拡大を続けるマーク・ザッカーバーグ帝国の、小さいが確実に利益の上がる一角となった。まもなく、その利益は爆発的に増えた。二〇一四年の春、フェイスブックはモバイル向け広告が総利益の六二パーセントを占めるようになったと発表し、[13]技術系ウェブサイト《ザ・ヴァージ》はこう宣言した——「フェイスブックはモバイル・カンパニーになった」。その後の推移もこの宣言の正しさを裏づけている。二〇一七年、フェイスブックのモバイル向け広告収入は総収益の八八パーセントを占めるようになり、[14]いまだ成長を続けている。

フェイスブックにまつわるこういった数字は、ソーシャルメディア全体のトレンドを反映している——〝モバイル事業は採算性が高い〟[15]。アテンション・レジスタンスにとってこの事実は重要な意味を持つ。そういったサービスのスマートフォン・バージョンは、ノートパソコンやデスクトップパソコンのウェブブラウザを介してアクセスするバージョンより、ユーザーの注意を奪うことにはるかに長けているのだ。一番大きな理由は、スマートフォンはいつでもどこでも手近にあるという点だろう。誰もがスマートフォンを肌身離さず持ち歩いているため、何かついでがあるたびに自分のフィードをチェックする。一方、モバイル革命が起きる前、フェイスブックのようなサービスがユーザーの注意を金銭に換えることができたのは、ユーザーがパソコンの前に座っているあいだだけだった。

　それだけではない。フィードバックのループという、より不吉な仕組みも働いている。ソーシャルメディア・サービスにスマートフォンからアクセスするユーザーが増えるにつれ、ソーシャルメディア企業のアテンション・エンジニアは、より長時間、ユーザーの注意を引きつけておけるようにモバイル・アプリを改良することに心血を注いだ。本書のパート1で説明したように、彼らエンジニアが仕掛ける巧妙な注意の罠――スロットマシンのレバーを引くようにスクリーンを下方にスワイプするとフィードをリフレッシュする機能や、警戒色である赤を使った通知バッジなど――の大部分は、モバイル版だけの〝革新的な新機能〟だ。

　こういった断片的な証拠を集めて見えてくる結論は明らかだ――ソーシャルメディアを利用するなら、モバイル版のアプリには近寄らないこと。モバイル版のほうが、あなたの時間と注意にはるかに大きな危険が及びかねないからだ。というわけでこの戦略では、スマートフォンからソーシャルメディアのアプリをすべて削除することを提案する。サービスを退会する必要はない。外出先でアクセスするのをやめるだけだ。

■
■
■

この戦略はデジタル・ミニマリズムの基本中の基本といえる。いつでもどこでもソーシャルメディアへのアクセスを可能にしているアプリを削除してしまえば、生活のなかの大きな空白に注意を向けずにすむよう手を差し伸べてくるソーシャルメディアの引力を遠ざけることになる。しかし、ソーシャルメディアを完全に拒絶するわけではない。ウェブブラウザを介したアクセスという（いくらか不便な）手段を残しておくことによって、自分にとって重要と思える特定の機能は引き続き利用できる。どう使うかを決めるのはあくまでもあなた自身だ。

実をいうと、前著『大事なことに集中する』を刊行した二〇一六年前半から、非公式ながら多くの人にこのアドバイスをしてきた。当時、読者のなかには、メリットよりデメリットのほうが多いソーシャルメディアの利用をすっぱりやめてしまったほうがいいという私のミニマリスト的提案に恐れをなす人も少なくなかった。そこで、第一段階としてスマートフォンからソーシャルメディアのアプリを削除してみようという提案に変えてみた。その後、手もとに集まってきた読者の反応から、二つの事実が浮かび上がった。第一に、スマートフォンからアプリを削除したあと、かなりの割合の人がソーシャルメディアの利用を事実上やめたということだ。パソコンからログインするというごく小さな制限が加わったたけなのに、それが面倒でアクセスしなくなったのだ。つまり、本人たちも驚きながら認めたように、絶対に必要不可欠だったはずのソーシャルメディアは、現実には手軽な気分転換の手段にすぎなかったことが明らかになったのだ。

もう一つ気づいた傾向は、パソコンでソーシャルメディアを使い続けると、ソーシャルメディアとの関わり方が変化するということだった。価値の高い特定の目的があるときだけログインするようになり、しかもごくたまにアクセスするだけになったのだ。たとえば、スマートフォンからアプリを削除した読者のフェイスブックの利用頻度は週に一度か二度、短時間チェックするだけになった。彼らにとってソーシャルメディアは、ときおり使う数多くのツールの一つにすぎなくなり、いつでもどこでも彼らの注意を限界まで搾り取るものではなくなった。

この二つの理由から、私のこのアドバイスはソーシャルメディア企業を怯えさせる効果がありそうだ。ソーシャルメディア企業は、自社のサービスの重要性を意気込んで論じ、社会にメリットを提供した実例を挙げる。しかし、彼らにはユーザーに気づかれては困ることが一つある——スマートフォンから彼らのサービスにアクセスする唯一の利点は、フェイスブックのような企業の四半期収入がいまのまま成長し続けることだけであるという事実だ。

演習 デバイスをシングルタスクな道具に戻そう

二〇〇八年、ノースカロライナ大学の大学院生だったフレッド・スタッツマンは、大学進学のために実家を離れるなど人生の転換期におけるソーシャルメディアをはじめとした新しいツールの支援的役割をテーマとした博士論文に取り組んでいた。そのテーマを思えば皮肉なことに、彼は論文執筆に集中できずにいた。インターネットに接続されたノートパソコンがあまりにも魅惑的な誘いをしじゅうちらつかせるせいだ。スタッツマンはこの問題を解決しようと、近所のカフェで執筆に取り組むことにした。しばらくはこの作戦がうまくいっていたが、それもカフェの隣のビルにＷｉ－Ｆｉが導入されるまでだった。インターネットの引力からどうやっても逃れられないことに業を煮やしたスタッツマンは、一定の時間、ノートパソコンのネット接続をブロックするプログラムを自分で書いた。そしてそのツールにふさわしい名をつけた——「フリーダム」[16]だ。

スタッツマンはこのツールをオンラインに公開した。まもなく、カルト的なフォロワーが集まった。このツールには市場がありそうだと気づいたスタッツマンは、研究者としてのキャリアをいったん棚上げし、フルタイムでこのソフトウェアに注力することにした。

それからの数年でツールはいっそう洗練された。現在では、単にインターネット接続を遮断するだけでなく、気を散らすウェブサイトやアプリケーションをユーザー自身が〝ブロック・リスト〟に登録し、あらかじめ設定したスケジュールに従って自動的に接続を制限できるようになっている。さらに、使用しているデバイスすべてを一括管理し、ユーザー専用の〝ダッシュボード〟ページからクリック一つですべてのパソコン、スマートフォン、タブレットでフリーダムを起動できる仕組みになった。

フリーダムのユーザーはすでに五〇万人を超えている。その一人、小説家のゼイディー・スミスは、高い評価を得た二〇一二年のベストセラー『NW』の謝辞で、原稿執筆のための「時間を生み出してくれた」フリーダムに感謝を捧げている。[17] スミスだけではない。フリーダムの社内リサーチによれば、フリーダム・ユーザーは平均で一日二・五時間の生産性の高い時間を取り戻している。

フリーダムやSelfControl（セルフコントロール）など人気のブロッキング・ツールは頼りがいがあるとはいえ、人間とコンピューターの関係におけるその役割は誤解されがちだ。たとえばスタッツマンを取り上げた《サイエンス》誌の記事中の、次のような彼の発言を考えてみてほしい。「ひどく皮肉な話、そして時代に逆行するような話です。最新のノートパソコンは究極の生産性マシンなのに、その生産性をいっそう高めるために、その核となる機能の一部をシャットダウンしなくてはいけないんですから」[18]

万能のパソコンの機能を一時的に遮断し、あえて可能性を制限するのはどうなのかという意見は、フリーダムのようなツールを疑問視する人々に共通するものだ。だが、そこが彼らの見解の最大の弱点でもある。彼らの意見は、コンピューターの使用と生産性についての誤解を象徴するものであり、その誤解は、アテンション・エコノミーの餌食になっているユーザー個々人よりも、デジタル・アテンション・エコノミー企業のほうにはるかに大きなメリットを与えているからだ。

■　■　■

この私の主張を理解してもらうには、歴史を簡単に振り返る必要がある。電子コンピューターが登場する以前は、電気機械装置が有益なタスクを人間の代理で引き受けていた。多くの人は忘れているが、たとえばＩＢＭは、一八九〇年代という早い時点からパンチカード式の集計機を国勢調査局に納めていた。[19]コンピューターが革命的だったのは、多目的に使えたこと──搭載するプログラムによって、同じマシンがさまざまな異なるタスクをこなせたことだ。それまでは必要な計算処理ごとに別のマシンを設計していたことを考えると大きな進歩であり、コンピューター・テクノロジーが二〇世紀の経済に大変革をもたらした理由もここにあった。

一九八〇年代に始まったパーソナルコンピューター革命は、その汎用性というメッセージを個人にも届けた。ＡｐｐｌｅⅡ発売時の印刷広告は、カリフォルニア州在住のある商店主の例を取り上げた。[20]平日はコンピューターを売上管理に使い、週末は同じコンピューターを自宅に持ち帰って妻とともに家計管理に使っている。一つのマシンをさまざまな目的に使うことができるというのが、最大のセールスポイントだった。

フリーダムのようにコンピューターの使い道を限定させるツールに疑念の目を向けさせるのは、この考え方――〝汎用〟＝〝生産性〟――だ。そしてこの考え方の問題点は、こういった種類の生産性における時間の役割を取り違えていることだ。汎用コンピューターの強みは、異なる目的のそれぞれに別のデバイスを用意せずにすむ点にある。ユーザーに複数《マルチ》の異なるタスクを同時にこなさせることではない。アップルの初期の広告に登場したカリフォルニアの商店主は、平日は売上管理を、週末は家計用の小切手の残高管理をした。二つを同時にやろうとしたわけではない。

コンピューターの歴史を振り返ると、ごく最近まではこの区別を明確にする必要はなかった。パソコンは、ユーザーが使用するためのプログラムを一度に一つ走らせることしかできず、一つのアプリケーションから別のものに切り替えるには手間がかかった。たいがいはフロッピーディスクを交換し、秘密の暗号のようなコマンドを入力しなくてはならなかった。しかし現在はそんな必要はない。博士論文に取り組んでいたときスタッツマンが痛感したように、クリック一つでワードプロセッサーからウェブブラウザに切り替えられる。そして世の中の大勢の人々が知っているように、異なるアプリケーションを瞬時に切り替えながら使うと、人間とコンピューターの関係から生み出されるものの質と量という意味で、生産性は低下する。

それを考えると、「最新のノートパソコンは究極の生産性マシンなのに、その生産性をいっそう高めるために、その核となる機能の一部をシャットダウンしなくてはいけない」のは、さほど皮肉な話ではない。汎用コンピューターの真価は、ユーザーがコンピューターを使ってやれることの総数にあるのであって、ユーザーが同時にやれることの総数にあるのではないからだ。

少し前に触れたように、コンピューターの機能をシャットダウンしないことで最大の利益を得るのは、デジタル・アテンション・エコノミーだ。汎用コンピューターが提供する機能のすべてにいつでもどこでもアクセスできるようにしていると、あなたの注意を奪うために設計されたアプリやウェブサイトもその受益者リストに加わることになる。したがって、アテンション・レジスタンスに闘士として加わるには、フレッド・スタッツマンにならい、自分のデバイス——ノートパソコン、タブレット、スマートフォン——に改革を施して、事実上、一度に一つの目的にしか使えないようにすることがまず重要になる。この戦略では、フリーダムのようなツールを導入して、あなたの注意をお金に換えている企業がサービスを提供するウェブサイトやアプリにアクセスするタイミングを自分でコントロールすることを提案する。ただしこれは、とりわけ困難なプロジェクトに取り組んでいるあいだだけ一部のサイトをブロックするという意味ではない。そういったサービスは原則としてブロックしておき、意識的に設定したタイミングに限ってアクセスするようにしてもらいたいのだ。

たとえば仕事にソーシャルメディアが不要なら、関連のウェブサイトやアプリを完全にブロックし、終業後の数時間だけ例外としてアクセス可能にする。仕事に特定のソーシャルメディア（たとえばツイッター）がどうしても必要なら、原則としてブロックしつつ、就業中に何度か時間を設けてブロックを解除する。特定の娯楽報道サイトがあなたの注意を奪うなら（私の場合なら、ワシントン・ナショナルズの試合を野球ニュース・サイトでチェックせずにいられない日がたまにある）、特定の時間帯を除き、やはり原則としてブロックしておこう。

原則としてブロックという戦略を実践すると、初めはやりすぎと思えるかもしれない。しかし実際には、人間の注意力システムによりマッチした、コンピューターを一つの目的に使うという理想の状態にあなたを引き戻すだけのことだ。アテンション・レジスタンスの勧めともいうべきこの章で提示するほかのアドバイスと同様に、原則としてブロックするという戦略は、デジタル・アテンション・エコノミーの果実をあなたから完全に取り上げるわけではなく、いまよりも意識的にアプローチするよう促すにすぎない。これはコンピューターとの関係についてこれまでと違った考え方の一つであり、またこの注意散漫の時代にミニマリストであり続けるために今後ますます必要になっていく考え方でもある。

演習 ソーシャルメディアのプロを真似しよう

ジェニファー・グライグルはソーシャルメディアのプロだ。〝プロ〟というのは口語的な意味、ソーシャルメディアを活用するのが巧みだというような意味ではない。ジェニファー（本人は〝彼女《she》〟ではなく〝they〟というジェンダーフリーの代名詞を好む）はソーシャルメディアというツールからいかにして最大限の価値を引き出すかを研究して生計を立てている、真の意味でのプロフェッショナルだ。

ウェブ2・0革命（ソーシャルメディアなど新しい媒体が登場してそれまでの消費者が表現者にもなった、二〇〇五年ごろから二〇〇七年ごろにかけてのインターネットの変革）が起きたころ、ジェニファーはボストンのグローバル金融サービス会社ステート・ストリートで、ソーシャルビジネスと当時普及の兆しを見せていたソーシャルメディアの責任者を務めていた。世界中に散らばる従業員の協業を円滑にするための社内ソーシャルネットワークの構築にも関わったほか、ステート・ストリートのソーシャル・リスニング・プログラム――ソーシャルメディアのノイズのなかから〝ステート・ストリート〟に言及した発言を抽出するシステムも導入した（ジェニファーによると、〝ステート・ストリート〟は通りの名前として全国の数千の道路標識に記されていることから、情報を正確に選り分けるのはなかなか困難らしい）。

ステート・ストリートを退職したあと、ジェニファーは学問の世界に転身し、権威あるシラキューズ大学ニューハウススクールのソーシャルメディアを専門とするコミュニケーション学の助教になった。現在は新世代のコミュニケーションのプロにソーシャルメディアの潜在力を最大に引き出す方法を教えている。

経歴から推測できるとおり、ジェニファーはソーシャルメディアの利用にかなりの時間を割いている。しかし私が何より関心を持っているのは、ジェニファーがソーシャルメディアにトータルでどのくらいの時間を注いでいるかよりも、どのように、ソーシャルメディアを使っているかだ。私がこの章のリサーチの一環として尋ねたように、ジェニファー本人にこの疑問をぶつけると、ジェニファーのようなプロの使い方は、一般的なソーシャルメディア・ユーザーとは違っていることが浮き彫りになる。プロは、仕事と（割合は低いが）個人的な生活のために最大限の価値を引き出すことを求め、ソーシャルメディア・サービスがユーザーを常習的な利用に誘いこむために用意している価値の低い娯楽の大部分を避けようとしている。つまり、彼らの磨き上げられたプロ意識とその実践は、アテンション・レジスタンスへの参加を考えているデジタル・ミニマリストにとってまたとないお手本なのだ。

というわけで、この戦略の後半では、ジェニファーのソーシャルメディア習慣を詳しく紹介する。彼女たちが実践しているとおりにすべて真似する必要はないとはいえ、ソーシャルメディアとの関わりにおいて同レベルの意識と関わり方を取り入れることを勧めたい。

■ ■ ■

ジェニファー・グライグルのソーシャルメディア習慣を簡単に説明するには、ジェニファーがしないことを挙げることから始めるのが一番わかりやすそうだ。まず第一に、ジェニファーはソーシャルメディアを娯楽の発信源としてとくに優れたものとは考えていない。「(私のツイッターフィードを見てもらえばわかるとおり)犬のオモシロ画像のアカウントはほとんど並んでいません……フォローするまでもなく、犬の画像や動画は飽きるほど目に入りますから[21]」

インスタグラムでは、関心のある複数のコミュニティから少数のアカウントを選んでフォローしているが、数分で一巡して最新の投稿をチェックできる程度の数に抑えている。それよりも、人気を集め始めているインスタグラムのストーリー機能に懸念を抱いているという。これは生活のなかの一コマをシェアできる機能で、ジェニファーはこんな風に形容する——「自分と友人たちの日常を追ったリアリティ番組」。これはユーザーが生成するコンテンツ量を増やすことを狙って導入された機能だ。つまり、ユーザーがこのコンテンツに費やす時間を増やすことにつながる。ジェニファーにはこの餌に食いつくつもりはない。「(この機能を使っても)さほど価値があるとは思えません」

またジェニファーのフェイスブック利用時間は、平均的なユーザーに比べて大幅に少ない。フェイスブックについては単純なルールを定めてそれを守っているからだ。友達はごく親しい友人と親戚に限定し、例外としてごくたまにインフルエンサーとやりとりするだけだという。「初期のころは友達申請を無条件に承諾していました。でも人間は本来、これだけ多くの人とこれだけ頻繁に連絡を取るようにはできていないように思います」ジェニファーはアクティブにやりとりする友達をダンバー数以下に維持するよう心がけている。* ダンバー数とは、人が安定して維持できる人間関係の規模を指す数字で、一五〇人程度とされている。ジェニファーは、仕事上の知り合いとは基本的にフェイスブックで交流しない。「同僚と話をしたければ、その人のオフィスに行くか、仕事帰りにおしゃべりに誘かします」また、最新のニュース報道を追ったり（これに関してジェニファーがどうしているかは少しあとで詳述する）、時事問題を議論したりする場として、フェイスブックは適切なプラットフォームとはいえないと考えている。「礼儀や言葉遣いの問題が悪化する一方ですから」

ジェニファーがフェイスブックにログインするのは四日に一度程度で、親しい友人や親戚の様子をひととおり確かめる。それだけだ。平均的なユーザーはフェイスブックのコア機能に一日三五分費やしている（フェイスブック傘下のほかのソーシャルメディアも含めると五〇分まで増える）。しかしジェニファーは、週に合計一時間も利用するかどうかだ。ごく親しい人々の近況を確かめられるのは有益な機能だが、それにはさほど多くの時間はかからない（これはフェイスブックがユーザーに気づかれずにすむよう願っている事実だ)。

最近のジェニファーが注意を向けているソーシャルメディアは主にツイッターで、プロフェッショナルにとって現状もっとも重要なサービスであると考えている。なぜかというと、ほとんどの分野に共通して、際立った人物はたいがいツイッターを利用しているからだ。彼らの集合知を活用すれば、ニュース速報から斬新な発想まで、つねに最新情報に触れていられる。ツイッターはまた、仕事上のネットワークに加える価値のありそうな人々との接点にもなる(これまでのキャリアを通じて、ソーシャルメディア上で気になった相手にメールでアプローチすることから生まれたチャンスが数え切れないくらいあったとジェニファーは言う)。**

企業でソーシャル・リスニング・プログラムを開発した経験から、ジェニファーは大半のソーシャルメディアの情報の流れにはノイズがあまりにも多すぎ、そのノイズのなかか

＊ジェニファーのフェイスブックの友達はいまも一〇〇〇人を超えている(誰かを正式に〝友達からはずす〟のは、社会的に難しい行為である)が、アクティブにやりとりする人数はダンバー数以下になるようにしている。そのために、ニュースフィードの「トップに表示」機能を活用したり、通知を送る相手を制限したりしているという。

ら有益なシグナルを見つけ出すには努力と自制心が必要だと考えている。そのため、ジェニファーは、大学関係用と趣味の音楽用の二つのツイッター・アカウントを使い分けている（ジェニファーは長年、バンドで演奏活動を続けている）。それぞれのアカウントについて、誰をフォローするか慎重に選ぶ――それぞれの分野から、独創的な考え方をする人や圧倒的なインフルエンサーだけを厳選している。たとえば大学関係用のアカウントでは、ジャーナリストやエンジニア、学者、政治家をフォローしている。

ジェニファーにとってツイッターは、世の中で話題になっているニュースやアイデアを早期に捉えるレーダーの役割を果たしている。仕事柄、これはとりわけ重要だという。専門分野で何か新しい動きがあったとき、コメントや反応を求められることが多いからだ。ソーシャルメディアのタイムラインで気になる話題を拾い出し、それについてさらに深く調べる。ツイートデックというデスクトップ・ツールの助けを借りることもある。ツイートデックの高度な検索機能を使うと、ツイッターのトレンドを理解しやすくなるという。このツールが提供している検索機能のなかでも欠かせないものの一つが、〝絞りこみ検索〟だ。ジェニファーによると――

たとえば、人種差別撤廃を訴える運動〝ブラック・ライヴズ・マター〟について知りたいとしたら、ツイートデックにフィルターを設定してこのトピックに関連したツイートのみ、しかも、たとえば〝お気に入り〟かリツイートが五〇を超えるものだけに限って表示させられます。さらにここから認証済みアカウントを絞りこむこともできます。

絞り込み検索は、ツイートデックの数ある高度な検索機能の一つにすぎず、ツイートデックはこの種の高度なフィルター機能を搭載しているツールの一つにすぎない（巨大企業の多くはこの機能を、顧客管理システムと統合した高価なソフトウェアパッケージに組みこんでいる）。ここで学ぶべきポイントは、ジェニファーのようなプロは、一手間かけることによってソーシャルメディアのノイズの海から自分が関心を持っている話題に関連した情報を効率よく選り分けているということだ。

＊＊ジェニファーと私が知り合ったきっかけもそれだった。誰かが私の本を推薦しているのを見て、ジェニファーはソーシャルメディアを使って私のバックグラウンドを調べた。そして二人ともマサチューセッツ工科大学の卒業生であり、在学時期もほとんど重なっていたことを知って、私にメールをくれた――それ以降、私たちはソーシャルメディアについて友好的なやりとりを続けている。

■■■

「ソーシャルメディアには、メリットや成長を促すきっかけを与えるようなプラスの側面もあるけれど、同時にマイナスの側面もあります」ジェニファーはそう話す。「綱渡りのようなもの……大半の人は、もっとうまくバランスを取る必要がありそうです」ジェニファーのようなプロの話を聞いていると、バランスを取るために効果的な方法が自然と浮かび上がってくる――自分の生活という新しいメディアの監督になったつもりでソーシャルメディアと関わるべきであるということだ。さまざまなプラットフォームをどう利用するか、「価値ある情報は余さず手に入れ、そのほかのつまらない情報は切り捨てる」を目標に据えて入念な計画を立てよう。ソーシャルメディアのプロにいわせれば、一時の楽しみを探して自分のフィードを漫然とサーフィンするのは、罠にかかるということであり（ソーシャルメディアのプラットフォームは、あなたの注意をもっともっと搾り取るために設計されている）、あなたがソーシャルメディアを利用しているのではなく、ソーシャルメディアがあなたを利用しているということだ。この事実を胸に刻めば、ソーシャルメディアとの関係は、あなたが一方的に振り回されるばかりではない、より価値のあるものに変わっていくだろう。

演習　スローメディアを活用しよう

二〇一〇年初め、社会学、テクノロジー、マーケット・リサーチと三者三様のバックグラウンドを持つドイツ人トリオが、「Das Slow Media Manifest」[22]と題した文書をネット上に公開した。英語に訳せば「The Slow Media Manifesto（スローメディア・マニフェスト）[23]」だ。

マニフェストは、二一世紀の最初の一〇年は「メディア界の技術基盤に重大な変革をもたらした」[24]と指摘するところから始まる。続けて、次の一〇年はこの巨大な変化に対する「適切な反応」[25]を探すことに費やされたと語る。そして〝スロー〟という概念を取り入れようと提案した。[26]一九八〇年代にローマで始まり、ヨーロッパ全土に拡大した、ファストフードを食べるのをやめて地産地消の食材、伝統の食事に立ち返ろうと呼びかけるスローフード運動にならい、「スローメディア・マニフェスト」は、デジタル・アテンション・エコノミーがますます多くのクリックベイト（アクセス数を稼ぐために、わざと煽情的な見出しなどを掲げてクリックを誘うリンクや広告など）を押しつけ、人々の注意を細切れにして衝動の断片に変える時代における適切な反応とは、メディア消費にもっと〝意識的に〟なることであるとした。

スローメディアは気軽に消費できるものではなく、ユーザーに完全に集中することを求める……スローメディアは、構成、外観、内容について高い水準をもって自らを評価し、速報性を競う短命なメディアと一線を画す。[27]

この運動が盛んなのは、主にヨーロッパだ。対照的に、同じ問題に対するアメリカの人々の反応は、いっそう禁欲的といえる。ヨーロッパ人は（スローフード運動が食事を変えたように）メディア消費を質の高い経験に変えようと意識するのに対し、アメリカ人は〝低情報ダイエット〟として取り入れようとする。[28]このコンセプトを最初に広めたのは、起業家で作家のティモシー・フェリスで、ニュースや情報の供給源を徹底排除することにより、ほかの娯楽に振り向ける時間を取り戻そうと呼びかけた。情報に対するこのアメリカ的なアプローチは、体によいものを積極的に取り入れるのではなく、悪いものを徹底的に排除しようとする、健康的な食事に対するアプローチとよく似ている。

どちらのアプローチにもそれぞれ長所があるが、アテンション・エコノミー・コングロマリットの餌食にされることなくニュースやそれに関連する情報の海を泳ぐには、ヨーロッパ式に〝スローさ〟に重点を置くほうが長期的に見て成功率が高いのではないかと私は考えている。というわけで、この演習ではスローメディア運動に身を投じることを提案する。

■　■　■

オリジナルのスローメディア・マニフェストは、メディアの発信者と消費者の双方に呼びかけるものだった。ここでは消費者側に焦点を合わせ、基本的にニュースに的を絞って考えていくことにしよう。メディア消費のうちでも、ニュースは、消費者がとりわけ注意を吸い取られやすい領域だからだ。

ニュースを消費するとき、一定のウェブサイトやソーシャルメディアのフィードを一定の順序で巡回する人が多い。たとえばアメリカの政治に関心があり、しかも左派的な政治的信条の持ち主であれば、CNN.comからスタートし、《ニューヨーク・タイムズ》紙、ソーシャル・ニュースサイト《ポリティコ》、《アトランティック》誌を経由して自分のツイッターのフィードをチェックし、最後にフェイスブックのタイムラインでゴールといった順序だろう。あるいはテクノロジーに関心があるなら、ソーシャル・ニュースサイト《ハッカーニュース》と《レディット》あたりもリストに入りそうだ。スポーツ好きならESPN.comや、自分が好きなプロチームのファンページなども加わる。

この手のニュース消費習慣が致命的なのは、儀式のように決まりきった順序があるからだ。どのサイトやフィードを訪れるか意識的に選択するわけではなく、いったんスタートしたが最後、自動運転のごとく勝手に進んでいく。ほんのわずかでも退屈を感じたとたん、それがスイッチとなって長大なループ・ゴールドバーグ・マシン（さまざまなからくりをつなげて単純な作業をあえて複雑に行なう装置。日本での俗称「ピタゴラ装置」）が作動する。

私たちはこの行動にすっかり慣れているため、これが基本的には近年台頭してきたデジタル・アテンション・エコノミーによって作られたものであることを忘れがちだ。アテンション・エコノミー企業は、あなたの毎日のチェックの儀式をとりわけ歓迎する。なぜなら、巡回の途中であなたが自社のサイトやサービスを通り過ぎるたび、銀行口座の残高がまた少し増えるからだ。一日に一〇サイトを一〇回訪問すれば、彼らの懐はぬくもるが、あなたはというと、一日に一度だけ良質なサイトを訪問した場合に比べて世事に通じるというわけではない。つまりこの行動は、ますます密に接続されていく時代に対する自然な反応ではなく、強大な経済的圧力によって強化された、彼らにとって実入りのよい条件反射の行為にすぎないのだ。

〝スロー〟メディア主義は、それよりも好ましい別の選択肢を提示する。〝スロー〟を意識してニュースメディアを受け入れるには、第一に、そしてほかの何よりも、最高に質の高い情報ソースだけを選び抜いて注意を向ける必要がある。たとえば何か大きな事件が起きたとき、速報系のサイトのニュースの質は低くなりがちだ。それよりも、ジャーナリストがある程度の時間をかけて情報を分析してから書くニュースのほうが質が高い。少し前に名の知られたジャーナリストが話していたことだが、ツイッターで流れてくる速報を追っていると大量の情報を手に入れたような気にはなるが、彼の経験からいえば、翌朝まで待って《ワシントン・ポスト》紙の記事に目を通すほうが同じニュースについてははるかによく理解できるという。ニュース速報専門の記者でもないかぎり、何か大きなできごとが発生した直後にインターネットにあふれかえる、不完全なくせに過剰で、ときには矛盾する情報を猛烈な勢いで摂取したところで、時間が無駄になるだけだ。ソーシャルメディアのおしゃべりやニュース速報サイトの情報よりも、定評のある新聞やオンライン雑誌に掲載される調査と吟味を重ねた報道のほうがはるかに質の高いものであることが多い。

同様に、間違いなく最高と確信できる少数の書き手だけをフォローするようにして、自分の注意をその少数に集中することも検討してみよう。インターネットは、誰もが自分の考えを世界に向けて発信できるという意味で民主化を推進するプラットフォームであり、それ自体は賞賛すべきことだろう。しかし報道や評論に関しては、自分が関心を持っているトピックについて世界クラスの書き手であるとすでに証明されている少数の人々だけに絞って注意を向けるべきだ。かならずしも権威ある大きな媒体で書いている人物でなくていい。個人ブログで骨太の意見を発信している書き手が、イギリスの週刊新聞《エコノミスト》で長きにわたって書き続けている記者と同じように高品質の情報を発信していることもあるはずだ。信頼に足る知性と洞察をもって記事を書いているとあなたが納得できる書き手なら、誰だってかまわない。つまり、ある問題に関心を持ったとき、あなたが誰よりも信頼を置いている人々がその問題についてどう考えているかをチェックしたほうが、ツイッターのハッシュタグ検索のぬかるみや、延々と続いてあなたのフェイスブックのタイムラインを埋めていくコメントの山をかき分けるより、よほどためになるということだ。いろいろなスロー運動に共通する原則として、低品質なものを大量に提供するところより高品質なものを少量だけ提供するところのほうがおしなべて優れている。

スローなニュース消費のもう一つの法則はこうだ。政治評論と文化問題に関心がある場合、自分が選ぶ立場とは反対の立場から書かれたなかで最高の議論に触れると、たいがいの場合、何よりも勉強になる。私はワシントンＤＣに住んでいるため、共和と民主、両党のプロの政治活動家を知っている。職業柄、彼らは敵方の説得力ある議論をつねに把握しておかなくてはならない。おかげで、彼らと政治論議をするのは、ほかの誰とするよりもおもしろい。私生活での彼らは、アマチュア政治評論家の、自分とは対立する意見の薄っぺらさに気づいているとしても、そこを攻撃して論破しようとはしない。代わりに、そこに隠れた重要な問題に気づかせたり、興味深い相違点を指摘して議論をさらに深めようとしたりする。自分と意見の違う人間は〝頭がどうかしている〟という確証を探して政治論議を吹っかける人々より、彼らのほうがよほど議論を楽しんでいるのではないかと思う。ソクラテスの時代から誰もが知っているように、議論の内容にかかわらず、議論に加わることそのものが深い満足をもたらすのだ。

スローなニュース消費にはもう一つ重要な側面がある。いつ、どのように消費するかを自分で決めるという点だ。先述したような強迫的にクリックしながらサイトを巡回する消費のしかたは、ドリトスのようなスナックをつまみ食いする行為に等しく、スロー運動の原則とは相容れない。それよりも、一週間のどこかにニュース消費のための時間枠を設けることを勧めたい。スローメディア・マニフェストが奨励するような〝完全に集中〟した状態を促すには、時間をブロックすることに加え、読むことだけに注意を向けられるような場所にまず移動する習慣を身につけることを勧める。さらにもう一つ、ニュースに目を通すとき、特定のフォーマットにこだわることも付け加えたい。

たとえば、朝食のテーブルで昔ながらの紙の新聞を広げるのもいい。紙の新聞に目を通すほうが重大なニュースを見落としにくく、また読むべき記事をオンラインで拾っていると自分では選ばない記事を目にする機会が増える。平日は紙の新聞を読み、土曜の朝はあらかじめ厳選しておいたニュースサイトやコラムをざっと眺め、熟読したい記事をブックマークしておいてからタブレットを持って近所のカフェに向かい、難解な記事や解説記事を一週間分まとめて読むのもいいだろう。出かける前に記事をダウンロードしておけば、インターネットに接続して注意散漫になるのを防ぐこともできてなおいい。ニュースを読むことだけに専念したいなら、記事ページの広告やクリックベイトを非表示にするようなブラウザのプラグインや集約ツールを利用することをお勧めする。

このようなアプローチ（〝スローさ〟と品質に同レベルでこだわった別のアプローチでもいい）を採れば、時事問題に遅れずにすみ、自分が関心を持っている分野での大きな動きを見逃すこともない。しかも、多くの人々のニュース体験を定義している強迫的なクリックのサイクルによって時間と心の健康を犠牲にすることもない。

似たようなメリットを生むルールや習慣はほかにもたくさん見つかるだろう。スローメディア主義のカギは、自分が消費するものの質、そしてそれを消費する環境の質を最大限に高めようとする姿勢にある。アテンション・レジスタンスに本気で参加してみようと思うなら、インターネット上の情報とのつきあいかたを見直すとき、ここで挙げたような考え方を真剣に検討すべきだ。

演習 フィーチャーフォンに戻そう

ポールはイギリスの中規模メーカーに勤務している。シニア世代ではない。それどころか若者世代に属している。こんなことをわざわざ書いているのは、二〇一五年秋にポールがした決断がいかに常識外れなものであったかを強調するためだ。ポールは、それまで使っていたスマートフォンを下取りに出してドーロ社のフォーンイージーを購入した——大型のボタンと大きなフォントのディスプレイを備えた、安価な折りたたみ式携帯電話で、主にシニア層向けに販売されているモデルだ。*

そのときの話をポールから聞いた。「何を大げさなと思われそうですが、最初の数週間はきつかったですよ。時間を持て余してしまって[29]」だが、そのあとはメリットばかりだった。前向きな変化で一番大きかったことの一つは、注意散漫にならずに妻や子供たちと過ごせるようになったことだ。「家族といるとき、あれほど上の空でいたなんて、自分では気づいていませんでした」職場での生産性は跳ね上がった。きつい数週間が過ぎたあとは、退屈したり、いらいらしたりといった感覚も消えた。「不安感も軽くなりました。それまで不安にとらわれていたことに気づいてさえいませんでしたが」妻からは、最近はいつも楽しそうで驚いていると言われたという。

テクノロジー企業の幹部ダニエル・クラフはフィーチャーフォンに切り替えたものの、ｉＰｈｏｎｅは手放さずにキッチンの戸棚にしまっている。トレーニング中に音楽を聴いたり、ランニングアプリのナイキプラスを使ったりしたいからだ。それ以外の外出の際はフィーチャーフォンのノキア１３０を持ち歩く。ポールが購入したドーロと同じように、カメラやアプリ、ネット接続機能がなく、通話とテキストメッセージしかできないシンプルな携帯電話機だ。そしてポールと同じように、何かをチェックしたい衝動を克服するのに一週間ほどかかったが、そのハードルは短期間でクリアできた。クラフは個人ブログにこう記している。「以前よりずっと落ち着いた気分で生活している。目の前のことに集中できるし、頭の中が以前ほど散らかっていない」[30] クラフによると、スマートフォンが使えなくて一番不便なのは、出先でグーグル検索ができないことだという。「でも、スマートフォンがないデメリットよりも、メリットのほうがはるかに大きい」

テクノロジー礼賛の大黒柱というべき技術系ニュースサイト《ザ・ヴァージ》でさえ、必要最小限の機能だけを搭載したコミュニケーション・デバイスへの回帰に潜在的な価値を認めている。二〇一六年大統領選挙をきっかけに、ほぼ休みなしにツイッターをチェックし続けることに疲れた記者のヴラド・サヴォヴは、「ダムフォン復活の好機到来」と題する記事を書き、シンプルなフィーチャーフォンに戻すことは「一般に思われているほど大幅な退行ではない――数年前ならそうだったかもしれないが」[31]、タブレットやノートパソコンが軽量化して携帯性が格段に向上したいま、生産性を上げる機能（と、いよいよ注意散漫にさせる機能）をスマートフォンにぎゅう詰めにする必要はもはやないと指摘し、携帯電話を通話と簡単なメッセージの送受信にだけ使い、それ以外はほかの携帯デバイス

＊おもしろいことに、ドーロのようなダムフォン（スマートフォンとは字義どおり解釈すれば「賢い電話」。ここではスマートフォン以外の従来の携帯電話〔日本でいう〝ガラケー〟あるいはフィーチャーフォン〕を「おばかさんな《ダム》フォン」と呼んでいる）を使う地下運動がエリートビジネスマンのあいだで静かに進行している事実を、ポールはこのモデルを購入したあとになって知った。彼らエリートたちの大半はヘッジファンド・マネージャーなど金融関係の仕事に就いている。ハイリスクの取引で一日何億ドルもの資金を動かしている彼らにとって、判断を偏らせて巨額の損失を招きかねない目障りなマーケット情報を遮断することが有利に働くからだ。

を使用すればよいと綴っている。

なかには両立させたい人もいるだろう。場合によっては（長期の旅行や、出先で特定のアプリを使うことがありそうなときなど）スマートフォンを持ち、ふだんはシンプルで注意散漫になりにくいデバイスを持って出かけたいというような人だ。心配ご無用、二つの番号を使い分ける必要はない。いまはこのシナリオを解決するものが登場している。紐付けされた〝ダムフォン〟だ。そういった製品の一つが、キックスターターの寵児「ライトフォン」で、手持ちのスマートフォンの代替にはならないが、それを拡張してシンプルな形で使える電話だ。[32]

使い方は次のとおり。ライトフォンは、エレガントな白いプラスチックの板状のデバイスで、大きさはクレジットカードを二枚か三枚重ねたくらい。そこにキーパッドと、番号を表示する小さなディスプレイがある。それだけだ。機能は電話の発着信のみ。現代のスマートフォンとはかけ離れているが、理屈の上ではコミュニケーション・デバイスにぎりぎり勘定できる。

ちょっと用事があってすぐ近所まで出るだけというようなとき、絶えず注意を引こうとするスマートフォンから解放されたいとしよう。家を出る前にふだん使っているスマートフォンを何度かタップしてライトフォンを起動する。これ以降、スマートフォンの番号にかかってきた電話は、ライトフォンに転送される。ライトフォンから誰かに電話をかければ、相手のディスプレイにはふだんの番号が発信者として表示される。ライトフォンを使い終わって電話の転送を止めるには、また何度かタップするだけ。スマートフォンの代替にはならないが、スマートフォンからある程度の時間逃れる緊急脱出口になる。

ライトフォンの開発者、ジョー・ホリアーとカイウェイ・タンは、グーグルの社内スタートアップ部門《インキュベーター》で知り合った。投資家から資金を獲得しやすいアプリの条件を学び、新しいアプリの開発を奨励されたが、二人は違和感を抱いた。「すぐにこう思いました。世の中はもう新しいアプリにはうんざりしているだろうと」[33]二人は公式サイトにそう書いている。「"Light"は、私たちの注意をもっと奪ってやろうと躍起になっているテック系独占企業に対する代案として生まれました」アテンション・レジスタンスの一員として彼らの立ち位置はいまひとつ曖昧だと思われるかもしれないから、念のために付け加えておこう。ホリアーとタンがサイトに掲げたマニフェストは、次のような内容の画像から始まっている――「あなたの＝彼らの＄[34]」。

本書の孤独について論じた章で、スマートフォンをつねに携帯していなくてはならないとの固定観念を拒絶しようと提案した。そうすれば自分と対話する機会——人の幸福に不可欠のもの——を増やせると期待してのことだ。このセクションで挙げた例は、その考えをさらに進めている。スマートフォンではないコミュニケーション・デバイスに替え、スマートフォンと離れて過ごす時間を（完全になくそうとは言わないまでも）大幅に増やすという選択肢を提示しているからだ。

スマートフォンからの解放を宣言することは、アテンション・レジスタンスに参加するためのもっとも重大なステップといえるだろう。スマートフォンとは、デジタル・アテンション・エコノミーが好んで送りこんでくるトロイの木馬だからだ。この章の初めに述べたように、もともとはニッチな存在だった企業が世界経済を独占するに至ったのは、スマートフォンという常時オンの対話形式の広告板が普及したからだ。この事実を考慮すると、スマートフォンを携帯せずにいれば、あなたは巨大企業のレーダー画面の外に逃げることができる。したがって、注意力を取り戻すのも格段に容易になる。

フィーチャーフォンに戻すのは、言うまでもなく、大きな決断だ。私たちは、スマートフォンが私たちの注意を引きつける以上に、スマートフォンに引きつけられている。多くの人にとってスマートフォンは、現代の生活を支えるセーフティネットになっている。迷子になるのを、ひとりぼっちになるのを防ぎ、もっといいことがあることに気づかない危険から守ってくれる。フィーチャーフォンだって同じ用途に使えるのだから、それを考えればメリットがデメリットを上回るはずだと自分を説得するのは、かならずしも簡単なことではない。それどころか、かなり大きな賭けになる――スマートフォンなしの生活が実際はどのようなものか、試してみる勇気がぜひとも必要だ。

世の中の一部の人々にとっては、この戦略はあまりにも極端で、考慮に値しないものであり続けるのかもしれない。何かどうしても無視できない事情があってスマートフォンを手放せない人もいるからだ。たとえば、個人宅に訪問する機会の多い医療従事者なら、グーグルマップにアクセスできなくなれば仕事に支障が出るだろう。同様に、ちょうどこの章を執筆していたころ、ブラジルのクリティーバに住むある読者がメールで指摘してくれたように、タクシーや徒歩での移動が危険な都市ではウーバーや99（ノヴェンタ・イ・ノヴィ）のようなライドシェアリングサービスはどうしても必要だ。

また、正反対の事情を抱えている人も一部にいるだろう。スマートフォンがあってもなくても、あまり変わらないという人々だ。私自身はこのカテゴリーに入る。ソーシャルメディアのアカウントは一つも持っていないし、携帯電話用ゲームもプレイしない。携帯メッセージを打つのは苦手だ。しかも日常生活のなかでスマートフォンに触れている時間がそもそも少ない。使い古したiPhoneをノキア130に買い換えてもいいが、そうしたところでおそらく何の変化もない。

その一方で、いつでもどこでもスマートフォンに接続できなくなったとしてもどうにかやっていけそうなら、そしてスマートフォンがないほうが生活が充実するだろうと直感的に思うなら、その決断はかつてほど過激なものではなくなったと安心してもらいたい。フィーチャーフォン運動は勢いを増しているし、このライフスタイル変革を支援するツールも進化を続けている。スマホ依存に疲れを感じたら、「もうけっこう」と宣言するのは可能であるというだけでなく、想像しているほど困難なものではなくなったのだ。ホリアーとタンのマニフェストの書き出しを思い出してほしい。「あなたの時間＝彼らの儲け」だ。勇気を持とう。あなたが持っている価値あるものを、あなたにとってもっと大事なことがらに振り向けよう。

おわりに

一八三二年秋、フランスの郵便船サリー号はルアーヴルを出航してニューヨークに向かっていた。この船に、ヨーロッパ旅行を終えて帰途に就いた四一歳の画家が乗っていた。ヨーロッパで彼の作品が注目を集めることはなかった。名前をサミュエル・モールスといった。

歴史家のサイモン・ウィンチェスターの記述によれば、この船旅の途中、大西洋上のどこかで、モールスは「世界を変えることになる天啓を得た」[1]。この閃きをもたらした人物は、同じ船の乗客だったハーヴァード大学の地質学者チャールズ・ジャクソンだった。ジャクソンは、電気の分野での最新の研究の成果にたまたま詳しかった。電気という新しい媒体が持つ可能性を話し合ううち、二人は驚くべき洞察を偶然見いだした。このとき、こう考えたとモールスはのちに記している。「電気の存在が回路のいずれかの部分で可視化できたら、電気を使って情報を伝達できないはずがない」[2]

ウィンチェスターの著作では、芽が出ることのなかった画家モールスにとってこれは「預言のような発見」[3]とされている。モールスは電子通信の将来性を即座に理解した。ニューヨークに到着すると、急ぎ自分のアトリエに戻り、サリー号上で生まれた一見単純な着想を実用化するための実験に着手する。一二年の長きにわたり実験に没頭したあと、一八四四年五月、モールスはアメリカ合衆国最高裁の一室に集まった有力議員や政府高官の前で電鍵を取り出してテーブルに置いた。モールスと、およそ六〇キロメートル離れたボルチモア郊外の鉄道駅で待機していた助手であり共同発明者でもあるアルフレッド・ヴェイルのあいだを、規則的な間隔で増幅器を備えた電線がつないだ。

初めての大がかりなデモンストレーションを行なって発明の成果を披露する時が来た。あと必要なものは一つ、初めて電報で送られるメッセージだけだ。モールスは、彼の発明を支援した米国特許商標庁長官の娘の提案を採用して、聖書の民数記にあるよく知られた一節を電鍵で打った——「神が造りたまいしもの」。

ウィンチェスターは、このフレーズをそれ自体として見れば、「単純な事実を声高に宣言するもの、サミュエル・モールスの信念の発露である」[4]と書く。しかし、モールスの発明とそれに続いた発明が引き起こした変革という文脈から見ると、これは「いまや誰も想像しなかったスピードと誰にも想像しえない結果とともに始まった変化の時代を予言する不吉な題辞」と解釈したほうがしっくりくる。

人類は、有史以来、発明によって自らを取り巻く世界を進歩させてきた。しかし電子通信を促進する技術革新には、ウィンチェスターを引用すれば、「過去に起きた革新とは当惑するしかないほど大きな違いがある」[5]。機械じかけの魔法は、数百万年の歴史を通じて私たちの脳に刻みこまれた、物理的な場としての世界に対する理解とすんなり馴染む。猛スピードで走る蒸気機関車は、畏敬の念を抱かせはしても、本質的な部分で納得がいく――火が蒸気を作り、蒸気が列車のピストンを動かす。

電報や電話、電子メール、ソーシャルメディアでのやりとりは、それとはどこか違っている。電流と、それがコントロールする複雑な部品群は直感的には理解できない。至近距離にいる二人の話者という文脈からはずれたところでやりとりされる会話は、人類の歴史にいまだかつて存在しなかったものだ。だから私たちは、サミュエル・モールスが火をつけた電気通信革命の行き着く先をうまく想像することができないまま現在に至っているのだし、それが私たちの世界に及ぼした影響を時間を遡って理解しようと悪戦苦闘したりするのだ。

本書の前のほうで述べたように、一八四四年のモールスのデモンストレーションに始まった電気通信ブームのさなか、メイン州とテキサス州を結ぶ電信線が大急ぎで敷設されたとき、ヘンリー・デヴィッド・ソローはその二つの州を結ぶ必要が果たしてあるのかと疑問を呈した。細かく考えれば時代遅れになっているとはいえ、その問い自体は、現在のソーシャルメディアとスマートフォンの時代にそのまま当てはまる。まずフェイスブックが登場し、次にiPhoneが発売された。電波変調と光ファイバー線に起きた、謎めいた技術革新の奇跡に支えられて、まるで何かに駆り立てられたように通信し、接続する日常。それは私たちの文化に瞬く間に広まった。誰かがソローと同じ根本的な問い――「何のために？」――を冷静に発する暇さえなかった。

その結果が、意図しなかった影響に浮き足立っているこの社会だ。シリコンヴァレーが売りこむものにいそいそと登録したはいいが、その直後、その行為を通じて思いがけず人間らしさを貶めてしまったことに私たちは気づいた。

この早すぎる展開に待ったをかけるのに、デジタル・ミニマリズムは威力を発揮する。デジタル・ミニマリズムは、歴史的に馴染みのない不自然な電子的コミュニケーションの大波から私たちを守る防波堤だ。私たちには、意義深く充実した人生を築きたいという本能的な衝動がある。デジタル・ミニマリズムは、技術革新が持つ謎めいた性質にその衝動を蝕まれることなく、技術革新から現にもたらされる驚異の本当の価値を引き出す手段なのだ（ところで、メイン州とテキサス州のあいだには、相手に伝えるべき重要な用事が確かにあったようだ)。

右の歴史ではデジタル・ミニマリズムをいくらか大仰に位置づけたが、本書で検討してきたように、デジタル・ミニマリズムの実践は、基本的に実用主義の実践と変わらない。デジタル・ミニマリストは、新しいテクノロジーを大事な目標に向けた歩みを支援するツールと見なす。テクノロジーそのものには価値を見いだしてはいないのだ。何らかの小さなメリットがあるというだけでは、人の注意をむさぼり食う小鬼のようなサービスを生活に取り入れる正当な理由とは考えない。代わりに、大きなメリットを生むような限定的で意識的な方法で新しいテクノロジーを応用しようとする。もう一つ、同じくらい重要なことがある。デジタル・ミニマリストは、ほかのすべてを見逃したとしてもかまわないと思っている。

同時に強調しておきたいのは、デジタル・ミニマリスト的ライフスタイルに移行するのはたやすいことではない点だ。私がインタビューしたミニマリストの多くは、全体としては自分が勝利を収めたとしながらも、ツールに押されて屈服した経験も多々あったと語る。

それでかまわない。デジタル・ミニマリズムは、デジタル片づけが終わると同時に一度で完了するものではない。継続しながらの微調整が必要なプロセスなのだ。

私の経験からいえば、デジタル・ミニマリズムをうまく維持していくためのカギは、問題はテクノロジーではなく自分の人生の質なのだという事実を受け入れることにある。本書で紹介した考え方や戦略を試せば試すほど、デジタル・ミニマリズムとは一連のルールであるだけでなく、魅力的なデバイスだらけのこの時代に、生きる価値のある人生を築いていくことなのだと理解できるはずだ。

現状のデジタル・ライフに傾倒している人々は、デジタル・ミニマリズムに反テクノロジー主義とのレッテルを貼ろうとするかもしれない。だが本書を読んで、それは見当違いだと納得してもらえたのではないかと期待している。デジタル・ミニマリズムは、インターネット時代の技術革新を拒絶してなどいない。拒絶しているのは、世の中のあまりに多くの人々がデジタル・ツールとのあいだに維持しているような関係だ。コンピューターサイエンスの研究者である私は、デジタル世界のフロンティアをますます広げる手伝いをして生計を立てている。この分野の大勢の研究者と同じように、私たちのテクノロジーの未来にある可能性に魅了されてもいる。しかし一方で、私たちが主体的なデジタル・ライフを送るための努力を始めるまでは、その可能性を解放してはならないとも考えている。その前に私たちは、どのツールを、どのような理由から、どのような条件で使うべきか、自分で判断できるようにならなくてはいけない。これは反動主義ではない。当たり前の論理だ。

サミュエル・モールスが切り拓いたこの電子の世界で、自分は人間らしさを失いつつあるのではないか――本書はそんなアンドリュー・サリヴァンの不安から話を始めた。〈かつて私は人間だった〉と彼は書いた。私はこんな風に願っている。デジタル・ミニマリズムがそんな現状をひっくり返す役に立てたら。顔のないアテンション・エコノミー・コングロマリットではなく、あなた自身に利益をもたらすような関係を最新のテクノロジーとのあいだに築く手助けができたらと。そして、テクノロジーを使いこなす世代がサリヴァンの嘆きを退け、胸を張ってこう言える日がいつか来ることも願っている――「テクノロジーのおかげで、私はこれまでにないほど人間らしく生きている」と。

謝辞

本書のアイデアは、二〇一六年末、バハマ諸島の誰もいないビーチで生まれた。そのころ私はまったく別の本のリサーチを進めているところだったが、ちょうど本書の「はじめに」でも触れたように、前著『大事なことに集中する』の読者の声が集まり始めた時期でもあった。みな一様にプライベートな生活での新しいテクノロジーの役割に悩んでいて、私としても、こいつは無視できない深いテーマになりそうだぞという予感を振り払えずにいた。これについて議論する世の中の切迫した様子を見ても、ちょっとしたテクノロジー上のアドバイス程度では解決しそうにない問題だと思った。それよりも、よい人生を築きたいという誰もが抱く願いをくじくような大問題だと感じたのだ。

休暇中だから時間はたっぷりあったし、一人きりで行ったり来たりできるビーチは果てしなく続いていた（私たち家族は旅行者で賑わう時期より前に到着していた）。そこで、少し時間を割いて単純な問いを追求してみることにした。「仮にこのテーマで本を書くとしたら、どんな内容になるだろう？」歩きながら熟考して数日が過ぎたころ、あるフレーズがふっと頭に浮かんできて、そのままそこに居座った――〝デジタル・ミニマリズム〟。これを始点として、私は盛んにメモを取り始めた。まもなく一つの哲学の概略が浮かび上がった。

最初のステップは、妻のジュリーに意見を求めることだった。ジュリーは私の生涯の友人であり、三人の子供たちの疲れを知らない母親であり、そして私の作家としての活動のあらゆる側面における最初の相談者でもある。そのジュリーが熱狂的な反応を示したのを見て、私はこのテーマをさらに追求しようと決めた。休暇から帰宅すると、私の長年の著作権エージェントであり、出版界でのメンターでもあるローリー・アブケマイヤーにさっそく連絡を取って、そのとき取りかかっていたプロジェクトをいったん棚上げし、代わりにこの新しいテーマに取り組んでみたいと伝えた。ローリーは賛成し、まだ形らしい形をなしていなかったアイデアをきちんと焦点の合った企画書にまとめるという困難な作業を手伝ってくれたうえ、私の熱意が伝わるような形式で出版界に紹介してくれた。この段階でたいへんな労力を注いでくれたローリーに感謝してもしきれない。

そしてもちろん、このプロジェクトの可能性を信じて引き受けてくれたポートフォリオ社の創業者であり発行者であるエイドリアン・ザックハイムと、同社の担当編集者ニッキー・パパドプロスにも感謝を捧げたい。初期の草稿をより強靭で魅力あるものに練り上げられたのは、ニッキーの助言のおかげだ。また、原稿に磨きをかけ、本の形に仕上げてくれたポートフォリオ社のヴィヴィアン・ロバーソン、宣伝広告の指揮を執ってくれたタラ・ギルブライドにも深く感謝している。ポートフォリオ社のチームとの共同作業は、本当に楽しくて有意義だった。ものを書く人間として、まさに願ってもない経験だったと感謝している。

訳者あとがき

あるとき、頭のなかがごちゃごちゃと散らかっているようで落ち着かず、目の前のことに集中できなくなっていることに気づいた。一日の大半を机の前で過ごしているのに、ちっとも仕事が進んでいない。私の時間はいったいどこへ？

もしやと思い、パソコン上でしていたことを逐一記録できるウェブサービスを使って一日を可視化してみると、案の定、集中しているつもりでいて、実は脱線している時間が思いのほか長いことがわかった。仕事のための調べ物で訪れたサイトでおもしろそうなリンクを見つけるとついクリックし、その先でまた新たなリンクをクリックし……自覚していた以上の時間を目的のないネットサーフィンに浪費していた。

本書でも、『僕らはそれに抵抗できない』の著者である心理学者アダム・オルターが、自分のスマートフォン使用時間を「一日一時間くらい」と見積もっていたのに、アプリを利用して実際に計測したところ三時間とわかって驚いたというエピソードが紹介されている。そのアプリの開発者によれば、利用者のスマートフォン使用時間の平均は、オルターと同じ、およそ三時間。一日のあちこちに細切れ状態で散在しているから、合計すると三時間にもなることに気づきにくいが、平均的な人は映画を一本、余裕で見られる時間を毎日スマートフォン上で費やしている計算になる。パソコンも使っているなら、もちろんその分も「スクリーン時間」に加算される。

スクリーン時間が細切れに散在しているということは、裏返せば、集中すべき時間も細切れになっているということだ。こちらのほうがより深刻な問題かもしれない。いったん注意がそれてしまうと、元の集中を取り戻すのに意外なほど長い時間がかかる。その時間はリサーチによって一〇分だったり二八分だったりさまざまだが、いずれにせよ、一日に複数回あるとするなら、「ちょっと気分転換」の代償としてはあまりにも大きい。

では、なぜそれだけの時間をスクリーンに使ってしまうのか。

一言で答えるなら、「スマートフォンはスロットマシンだから」。これは本文に登場する元グーグル社エンジニアのトリスタン・ハリスが、スマートフォンに隠されている危険をわかりやすく伝えるのに使った表現で、ここでのキーワードは「ランダムな報酬」と「承認欲求」だ。その心理的な仕組みについて、あるいは注意経済《アテンション・エコノミー》企業がそこからどう利益を得ているのかについての詳細な説明は本文に譲るとして、要するにスマートフォンは、いまご自分を満足させてくれるようなおもしろい記事がこの次に出てくるのではないか、いまごろ自分の投稿に「いいね」がついているのではないかといった期待を煽り、「大当たり」を求めてユーザーに延々とタップさせるような設計、使うのを我慢できなくなるような設計になっているという。ハリスはそれをスロットマシンにたとえた。

ギャンブルは、一度はまるとなかなかやめられない。スロットマシンのたとえが当たっているなら、程度の違いこそあれ、スマートフォンにもそれに通ずる依存性があるだろう。しかもスマートフォンの場合、朝であろうと真夜中であろうと、ポケットから取り出してタップするだけの手軽さだ。そしてパソコン向けのウェブサイトも似たような設計になっていて、こちらもやはりワンクリック。誘われるままタップ／クリックすればするほどスクリーンへの依存は進み、ますます多くの注意と時間を奪われてしまう。

著者は、ソクラテスの有名な比喩を引いてこう警告する。

人の魂は、二頭の馬を操ろうとしている御者にたとえることができる。一頭は節度を持った馬、もう一頭は欲望に屈しがちな馬だ。主体性を放棄してデジタル・ツールに選択を委ねれば委ねるほど、後者の馬の力が強くなり、御者がどんなに奮闘しようと馬車をまっすぐ進ませるのは困難になっていく——つまり、魂の権威が衰える。

そんな危険があるとわかっていて「闘わずに負けるわけにはいかない」。しかし、一時的にスクリーンから離れる「デジタル・デトックス」といった小ワザでは、デジタル・ツールの攻勢に太刀打ちできない。そこで著者は、主体性を奪還するための武器として「デジタル・ミニマリズム」という哲学を構築し、この本を書いた。

デジタル・ミニマリズムを実践すると、どのような効果が期待できるだろう。

まず、これまでスクリーン上で費やしていた時間を取り返せる。特別なアプリを使って計測しなくても、それがそのままあなたがスマートフォンやネットに奪われていた時間であり、あなたが平均的な人なら、単純に、一日がこれまでより三時間長くなる。その増えた時間を、さあ、何に使おう？（著者は、いきなりぽっかりと空くことになる時間を埋めるプランを、デジタル片づけを始める前に用意しておくよう助言している）

散らかっていた頭のなかも片づく。いままでは、そこに散らかっているものに一瞬注意がそれたことをきっかけに、無目的なネットサーフィンが始まっていたのでは？　しかもサーフィンをすればするほど新しい情報が流れこんできて頭のなかはますます散らかり、また注意がそれて……という悪循環に陥りがちだった。けれど、私たちの頭は考えるための作業スペースであって、雑多な情報や他人の考えでいっぱいにしておくための物置ではない。本書のデジタル片づけを実行して頭のなかが片づけば、悪循環は絶たれ、自分の考えとじっくり向き合う空間が広がり、ネット上で起きていることをリアルタイムで知らなくても平気になり、しじゅうチェックしていなければ「何かいいこと」を自分だけが見逃すのではという不安から解き放たれる。

　実践にあたって、デジタル片づけの三〇日間は本書のアドバイスに忠実に従うのがよさそうだ。よくない習慣を断ちたいときは、少しずつ頻度を落とすより、一気にやめてしまうほうが成功しやすいとされる。片づけが完了したら、元の状態に逆戻りしないよう、たとえば本文でも紹介されている「フリーダム」のようなブロッキング・ツールを導入してスクリーン時間を制限するなど、自分なりのデジタル・ミニマリズムを確立してほしい。

　著者は、たとえネットの誘惑に抗いがたい瞬間があるとしても、あなたの意志が弱いわけでも、自制心に問題があるわけでもないと私たちを励ます。さまざまなリサーチもそれを裏づけている。あなたが悪いのではない。ネットを見ること自体が悪いのでもない。集中すべきときにスロットマシンのレバーがうっかり視界に入ることがないよう、ちょっとした工夫が必要だというだけのことだ。

　著者カル・ニューポートの前作『大事なことに集中する――気が散るものだらけの世界で生産性を最大化する科学的方法』（ダイヤモンド社）は、注意散漫のこの時代にあって集中する能力がいかに大きな強みになり得るか、「本当に大事なこと」にそれを発揮するにはどうすべきかを論じた。そして二〇一一年三月の最新刊 *A World Without Email*（電子メールのない世界）は、予測不能なタイミングで届いて集中と予定を乱す電子メールを中心としたワークフローから、集中すべき時間と本来の予定を守るような新しいワークフローへの移行を提案しており、前作、本書、新作を合わせて〈注意散漫と闘う〉三部作と呼べそうだ。なお *A World Without Email* は、早川書房から二〇二一年中の邦訳刊行が予定されている。

最後に、インターネットの登場以来、人が注意散漫になりやすくなったのはなぜなのかなどインターネットが脳や思考に及ぼす影響について、たとえばニコラス・G・カー『ネット・バカ――インターネットがわたしたちの脳にしていること』（青土社）を、またスクリーン依存については前述のアダム・オルター『僕らはそれに抵抗できない――「依存症ビジネス」のつくられかた』（ダイヤモンド社）などを、本書と併せて一読するようお勧めしたい。理解が深まり、危機感が高まって、「スロットマシン」との闘いに臨む士気がいっそう上がること請け合いだ。

二〇二一年三月

解説
自分のアウトプットに専念するために

佐々木典士《ミニマリスト》

博物館で何百年も前に彫られた仏像を見る。驚くほど細密なそれらを見ながら、完成までに必要だったであろう努力に思いを馳せる。そしてこんな仕事は、朝から晩までネットワークに接続され、友人にいいねをつけたり、スマートフォンの通知に気を取られて忙しいぼくたちにはもはや再現できない仕事ではないかと思う。ショッピングモールのフードコートでは今も高校生が熱心に勉強をしている。そして自分が受験勉強をしていた時代にスマートフォンがなくて良かったといつも胸を撫で下ろす。

ぼくたちが集中すべき大事なことというのは、仏像を彫ったり、興味のある分野の勉強をしたりということのはずだ。しかし、あらゆる手練手管を無慈悲に使って、注意経済はぼくたちの集中力を大事なことから逸らそうとしてくる。

どうしてデジタル・ツールの使用から距離を取ることは難しいのか。ぼくは大きく分けて二つの理由があると思っている。大きいのはやはりSNSで、一つめの理由はそのSNSが人の本質とピッタリ結びついてしまう性質を持っているということだ。世界中どの国に行っても、人々がスマートフォンを熱心に見つめている風景は同じ。それは文化を超えて人間の本質に訴えかけている。

人間の本質とは、我々が群れで暮らす社会的な動物だということである。そしてある動物の遺伝子が変化し進化するためには少なくとも数千年以上はかかり、人間の本質は何万年も前から変わっていないという。だからぼくたちは小さな村で暮らしていた先祖たちと同じことを嬉しいと思い、悲しいと思う。そして自分が所属しているコミュニティで他者が何をしているか、自分の評判がどんなものなのかがどうしても気になる。SNS上での友人が昨日何を食べたか、どこへ行ったかということは、ニュースとしては大した価値がないし、いつか会ったときの土産話として取っておけばよいものだった。しかしそのチェックをやめられないのは、「焚き火を囲んでいるときに脇腹をつついてくる仲間を無視するようなもの」だから難しい。ぼくたちは長年、仲間の顔色を窺いながら暮らしてきたので、それがSNS上で膨大な数のコミュニティに置き換わったとしても一人ひとりの人間が何をしているか気になってしまう。しかし、それは人の脳のキャパシティを容易に超えストレスになる。「人はこれほど多くの人々と連絡を取り合うようにはできていない」のだ。自らの体験をＳＮＳを投稿することにも、本書で指摘されている通りギャンブルのような魅力がある。ギャンブルに勝ち、いいねがたくさん押されれば、コミュニティで承認されたような気になる。

しかし、ＳＮＳの誘引力に惹き寄せられすぎてしまうと、負の側面が出てくる。ぼくも以前はツイッターで気になる人をよく追いかけていた。そうしてある日、ＳＮＳを見た後にほとんど充実感がないことに気がついた。ツイッターで流れてくる情報は有用なものに絞っているつもりだったし、フェイスブックでの友人の投稿も前向きで、応援したくなる取り組みばかりだ。ひとつひとつの情報は悪くない。しかし、それをまとめて見終えたときに、なぜか手応えがないのだ。

ブログ「ミニマリスト日和」を運営する友人のおふみさんがこの問題について、こんなことを言っていた。そういう時に人は目にしたＳＮＳの総体を「一人の個人」として考えてしまったりするのではないかと。ＳＮＳに投稿している個人はそれぞれにできることをやっているだけだ。しかしそれらをまとめて眺めていると、自分には到底成し遂げられない仕事をし、人生の楽しみを謳歌しているスーパーマンのような個人がどこかにいるような気がしてしまう。そして自分の至らなさを苛《さいな》む。考えてみると、ぼくが各種ＳＮＳを見たいと思うときは、自分が何か手持ち無沙汰になったり、何かうまく行かないことがあったときだった。そもそもＳＮＳを見たいと思うときは、気持ちがふさぎがちだったのだ。

　ぼくは意志の力なんて全然信用してないから、具体的な対策をいつも取る。そしてツイッターのフォローはゼロにし、誰かのツイートを見たいときはその都度検索するようにした。フェイスブックなどのアプリも本書が勧める通りスマートフォンには入れていない。そうして、ぼくがSNSを見る基準は「その投稿を見て、やる気が出るかどうか」ということに落ち着いた。ぼくには尊敬すべき方がたくさんいるが、その方たちの輝かしい仕事を見るとやる気が失われることがある。だからぼくがSNSを見る基準は「その人のことが好きかどうか」ではない。そしてそれは「チェックすべき情報かどうか」でもない。それらは無限にあって、かえって過度な情報に混乱してしまうことが多いからだ。

　人の本質と結びついてしまっているSNSと距離を取るために、どうしたらいいのか？　心がけるべきは、何事にも支払うべき代償というものがあることだ。ぼくが友人のツイッターやフェイスブックの投稿を見ていないことで、離れていった人間関係は確実にある。人には何かしてくれたら、お返ししたくなる返報性という心理があり、何もしてくれない人には何かする義理はないと考えるからだ。ぼくが心の平安を手に入れる代わりに支払った代償がこれである。しかし、それで離れていく関係はしょせんその程度の関係性だということだ。ぼくが大切な友人だと思う相手の条件は、SNSで相互フォローしているとか、昨日の晩ごはんに何を食べたかを知っているということではまったくない。何年も会ってなくても昨日も会ったかのように心を許して話せたり、お互いがしていることをリスペクトしあえる関係だ。そもそも友人関係の価値はどれぐらい長く続いたかにあるのでもないと思う。たとえ一瞬でもその関係性が輝いたのなら、もう充分ではないのだろうか。

デジタル・ツールの使用から距離を取りづらい二つめの理由。それは本書で紹介されている切実な声がわかりやすい。「何か役に立ちそうな情報があるのに、それを見逃しているかもしれないでしょう？」。何か重要な情報を見逃してしまうかもしれないという恐怖心。これは何も新しいデジタル・ツールだけでなく、古いメディア、たとえばテレビについても同じことが言えると思う。ぼくが手放していちばんよかったと思うものはテレビだ。その理由はSNSと同じ。ひとつひとつの番組には良いものもあるし、見ていなければ世間から置いていかれそうだ。しかしいざ手放してみると、どれだけそれにたくさんの時間を取られていたか、そしていかにそこから得ていた情報が薄かったかを実感した。

ジャーナリストの池上彰さんは、「テレビは出るものであって、見るものではない」ときっぱり言っている。池上さんが言っているのは、結局どんなメディアであれ他人のアウトプットにばかり拘泥《こうでい》してはいけないということだと思う。自分を振り返ると、どんなに重要そうに見えても、テレビやSNSの情報で自分の中に残っているものは少ない。自分の中に刻まれしっかりと血肉になっていると感じるのは、結局格闘しながら本に書いたような自分のアウトプットだけである。

今の注意経済は、本当に狡猾だ。人々の限られた二四時間というパイを奪い合うためにしのぎを削っている。ＹｏｕＴｕｂｅのタイトルは扇情的なものが並ぶ。有名なインフルエンサーたちを追いかけ、オンライン・コミュニティに所属したり、高額な商品を買わなければ、自分だけ重要な情報が知らされないかもしれない。しかしそんな恐怖心を乗り越えた先に果実がある。そもそも価値は希少性に宿るのだ。誰もが知っていなければいけないような情報をすべて知っている人がいたとしてもその人の価値は薄いだろう。溢れる他人のアウトプットから抜け出し、いかに自分のアウトプットに専念するかが問われる時代だと思う。

新しいデジタル・ツールにだって、もちろん有用な面がある。ぼくは極度の方向音痴なので、旅先ではグーグルマップが欠かせない。本書で勧められているようにガラケーに戻すこともたまに頭をよぎるが、グーグルマップがあれば初めて訪れる海外でも気軽に散歩ができる。その楽しみを手放したくない。ＬＩＮＥにもどうでもいいメッセージが届くが、無料で海の向こうにいる友人とも距離を縮めてくれる大切なツールとなっている。今はツイッターと一定の距離を置いているが、ぼくがミニマリストを志し始めた五年前に出会ったミニマリストたちとはツイッターがつなげてくれた。当時は、ミニマリストなんていう言葉は誰も知らず、身の回りにももちろんいなかった。希少種のような友人をネットの検索に頼って探すしかなく、そのことについてとても感謝している。

何より大事なことは、自分でデジタル・ツールにどの程度関わるか自分で選ぶこと。有名なミニマリストの生活をなぞるだけなら、広告に踊らされてモノを買うのとまったく変わらない。本書でもこう述べられている。「デジタル・ミニマリズムの有効性を支えているのは、利用するツール類を意識的に選択する行為そのものが幸福感につながるという事実だ」。本書でアドバイスされているようなデジタル・ミニマリズムの方法は参考になるだろう。しかし、その方法を鵜呑みにするなら、有効だとしても幸福感は高まらないだろう。どの程度デジタル・ツールに関わるかは人によって最適な濃淡があるはずだ。さまざまな選択肢はあるが、デメリットとメリットを試行錯誤した上で、自分にはこれがぴったりだ——目指すべきはそんな境地である。

本書は、二〇一九年十月に早川書房より単行本『デジタル・ミニマリスト——本当に大切なことに集中する』として刊行された作品を改題・文庫化したものです。
本書の原注は https://www.hayakawa-online.co.jp/digitalminimalist よりご覧いただけます。

訳者略歴　英米文学翻訳家，上智大学法学部国際関係法学科卒　訳書にフィン『ウーマン・イン・ザ・ウィンドウ』，ウェルシュ『トレインスポッティング』，パラニューク『ファイト・クラブ〔新版〕』（以上早川書房刊），ディーヴァー『ボーン・コレクター』他多数

HM=Hayakawa Mystery
SF=Science Fiction
JA=Japanese Author
NV=Novel
NF=Nonfiction
FT=Fantasy

デジタル・ミニマリスト
スマホに依存《いぞん》しない生《い》き方《かた》

〈NF573〉

二〇二一年四月十五日　発行
二〇二二年十月十五日　二刷

（定価はカバーに表示してあります）

著者　カル・ニューポート
訳者　池《いけ》田《だ》真《ま》紀《き》子《こ》
発行者　早川浩
発行所　株式会社早川書房

郵便番号　一〇一－〇〇四六
東京都千代田区神田多町二ノ二
電話　〇三－三二五二－三一一一
振替　〇〇一六〇－三－四七七九九
https://www.hayakawa-online.co.jp

乱丁・落丁本は小社制作部宛お送り下さい。
送料小社負担にてお取りかえいたします。

印刷・中央精版印刷株式会社　製本・株式会社明光社
Printed and bound in Japan
ISBN978-4-15-050573-8 C0130

本書は活字が大きく読みやすい〈トールサイズ〉です。